Uwe Timm
Deutsche Kolonien

DEUTSCHE KOLONIEN

Uwe Timm

Kiepenheuer & Witsch

2001 Vertrieb durch Parkland Verlag, Köln
Umschlag: Mendell und Oberer, München
Grafische Gestaltung: Geith & Weijers, München
Druck und Bindung: Eurolitho S.p.A., Italien
ISBN 3-89340-019-2

Inhalt

Vorwort 7

Deutsch-Ostafrika 14

Deutsch-Südwestafrika 64

Kamerun 98

Togo 134

Samoa 158

Kiautschou 168

Informationen und Karten 196

Bibliographie 216

Bildnachweis 217

Vorwort

Der Caprivi-Zipfel, der Bismarck-Archipel, die Lüderitzbucht – ein paar geographische Namen, das ist alles, was auf den Landkarten noch an das deutsche Kolonialreich erinnert. Ein Kolonialreich, das, gemessen an dem der Engländer oder Franzosen oder Portugiesen, relativ klein und dann auch nicht von langer Dauer war.

Ziemlich genau 35 Jahre lang hatte Deutschland Kolonien, von 1884 bis 1919. Mit dem Ersten Weltkrieg verlor Deutschland auch seine Kolonien. Im Friedensvertrag von Versailles heißt es im Artikel 119: »Deutschland verzichtet zugunsten der alliierten und assoziierten Hauptmächte auf alle seine Rechte und Ansprüche in bezug auf seine überseeischen Besitzungen.« Damit war der deutsche Traum vom »Platz an der Sonne« zwar noch nicht ausgeträumt, aber der Platz selbst war jetzt endgültig von den beiden anderen europäischen Kolonialmächten England und Frankreich besetzt.

Die Forderung nach Rückgabe der ehemaligen Kolonien wurde 1919 in der Weimarer Republik von allen bürgerlichen Parteien, einschließlich der SPD, erhoben. Die Erinnerung an die deutsche Kolonialzeit wurde in zwanzig Kolonialvereinen gepflegt, begleitet und kommentiert von einer schier unübersehbaren Literatur. Der fleißige, ordnungsliebende Deutsche, der hart, aber gerecht sich um das Wohl und Weh der Neger bemüht hatte, die sich nun unter der englischen oder französischen Fremdherrschaft nach ihren deutschen Herren zurücksehnten, das war die Legende, verbreitet in Sachbüchern, Erlebnisberichten, Fotobänden, Romanen, Erzählungen, ja sogar in Gedichten.

Das alles war 1945, nach der Niederschlagung des deutschen Faschismus, der ausgezogen war, um im Osten ein Kolonialreich zu errichten, Makulatur. Nun erwies es sich aber als recht nützlich, keine Kolonien mehr zu haben. Denn nach dem Ende des Zweiten Weltkrieges verstärkte sich in fast allen Kolonien der Kampf um die Unabhängigkeit. Die noch wenige Jahre zuvor um ihren Kolonialbesitz beneideten Länder wie England, Frankreich, Portugal und Holland waren jetzt in kostspielige und blutige Befreiungskriege verwickelt, in Vietnam, Indonesien, Kenia, Angola und Algerien.

Nicht einer dieser Unabhängigkeitskriege konnte von der jeweiligen Kolonialmacht gewonnen werden. Statt Krieg zu führen, machte der neue deutsche Staat, die Bundesrepublik, Geschäfte. Und es war beim Entree in die dritte Welt für die Deutschen ein Vorteil, daß man keine Kolonien mehr hatte. Das jahrelange Rufen nach Rückgabe der alten Kolonien war verhallt, und ein dezentes Schweigen breitete sich aus. Es ist sicherlich kein Zufall, daß in der Bundesrepublik bis heute keine umfassende Arbeit über die Geschichte der deutschen Kolonien vorliegt. Helmut Bleys faktenreiche Untersuchung *Kolonialherrschaft und Sozialstruktur in Deutsch-Südwest* bestätigt als Ausnahme die Regel.

Im öffentlichen Bewußtsein ist die deutsche koloniale Vergangenheit heute – wenn überhaupt – noch immer in der Weise präsent wie vor 1945: Als Legende vom tüchtigen Deutschen, der in Afrika Straßen und Eisenbahnen gebaut und den Schwarzen das Einmaleins beigebracht hat. Daß diese Legende so hartnäckig weiterlebt, läßt sich wohl auch damit erklären, daß man wenigstens auf diesem Gebiet glaubte – nach den Entsetzlichkeiten des deutschen Faschismus – anderen Völkern etwas vorauszuhaben. Der neue deutsche Staat hatte eben kein Algerien, Indonesien oder Moçambique, wo Franzosen,

Holländer und Portugiesen versuchten, mit allen Mitteln, auch mit Folter und Terror, Unabhängigkeitsbewegungen niederzuschlagen.

Auch die Deutschen hatten Kolonialkriege geführt, und zwar mit Erfolg – nur fünf Jahrzehnte vorher. Die Kolonialmächte standen sich in nichts nach, was die Ausplünderung von Land und Leuten anging, und auch nicht in der Brutalität, mit der sie jeglichen Widerstand der Unterdrückten niederschlugen. Ein Unterschied liegt allenfalls in der Zeitspanne der Kolonisation. Die deutsche dauerte eben – viel zu lange zwar für die Opfer – nur 30 Jahre.

Warum Deutschland erst so spät daran ging, Kolonien zu erwerben, erklärt sich im wesentlichen aus seiner territorialen Zersplitterung. Die kleinen Staaten auf deutschem Boden – Preußen eingeschlossen – waren vor 1871 zu größeren militärischen und ökonomischen Unternehmungen in Übersee nicht stark genug. Es fehlte eine Flotte; und die wenigen Hamburger und Bremer Kaufleute, die versuchten, auch in Übersee Handel zu treiben, stießen schnell auf die unüberwindbaren Barrieren der merkantilistischen Handels-, Schiffahrts- und Kolonialpolitik der großen Seemächte, allen voran England. Erst die teilweise Öffnung der britischen Kolonien für die Schiffe fremder Mächte durch die Navigationsgesetze von 1822/24 ermöglichte es auch deutschen Reedern, Charterfahrten für englische und holländische Kaufleute auf außereuropäischen Routen zu übernehmen. In den folgenden Jahren und Jahrzehnten gelang es deutschen Kaufleuten, zumeist aus den Hansestädten Bremen oder Hamburg, Niederlassungen an den Küsten Afrikas, Chinas und in der Südsee zu gründen. Bezeichnenderweise waren in all jenen Gebieten, die gegen Ende des 19. Jahrhunderts vom Deutschen Reich in Übersee noch besetzt werden konnten, schon Jahrzehnte zuvor deutsche Kaufleute und Missionare tätig gewesen.

Die Muster der kolonialen Besitzergreifung im 19. Jahrhundert sind denn auch ganz ähnlich: Missionare kommen in das Land und beginnen unter den Einheimischen mit ihrer Missionsarbeit. Zumeist redliche Leute, überzeugt von ihrer evangelischen Sendung, wollen sie den Heiden das Heil bringen, tragen aber auch zugleich zu einer Zerstörung der kulturellen Eigenart der Bevölkerung bei und bereiten so die spätere Kolonisierung vor.

Kaufleute errichten ihre Faktoreien und tauschen Produkte der Sammelwirtschaft gegen europäische Waren, vor allem Gewehre und Branntwein. Wobei der Branntwein nachgerade einen idealen Tauschwert hat, denn sein Gebrauchswert verfliegt mit dem Rausch. Der Nachdurst muß abermals durch Branntwein gelöscht werden, der wiederum gegen Elfenbein, Schildpatt oder Straußenfedern eingetauscht wird. Die Sucht stellt sich ein und garantiert einen beständigen Absatzmarkt. Selbstverständlich wird so ungleichwertig getauscht, daß große Gewinne entstehen. Der Hamburger Kaufmann und Reeder Adolf Woermann hatte sehr früh die Bedeutung des Branntweins im Handel mit den »Primitiven« erkannt. Es war der Branntwein, der die in sich ruhenden wirtschaftlichen Verhältnisse der Eingeborenen zum Tanzen brachte. Das Hamburger Handelshaus C. Woermann wurde denn auch im 19. Jahrhundert zum größten Handelsunternehmen an der afrikanischen Westküste.

Im letzten Drittel des 19. Jahrhunderts kamen dann auch zahlreiche Afrikaforscher ins Land, bei denen sich oftmals wissenschaftliche mit wirtschaftlichen Interessen deckten. Sie versuchten, mit oder auch ohne staatlichen Auftrag, Land für ihre Nation zu erwerben. So wurden Landverträge mit Häuptlingen abgeschlossen, die zumeist gar nicht wußten, daß sie mit ihren drei Kreuzen auch ihre Abdankung unterzeichnet hatten. Bei einem dieser Landkäufe wurden die Namas in Südwestafrika von dem ehrbaren Bremer Kaufmann Lüderitz, der als Gründer Deutsch-Südwestafrikas gilt, unter der Mitwirkung eines Missionars kräftig übers Ohr gehauen. Er kaufte im Sommer 1883 dem Häuptling der Bethanier, Joseph Fredericks, die Küste vom Oranjefluß bis zum 26. Breitengrad ab. Wobei Lüderitz die Namas im Glauben ließ, daß dieser Vereinbarung die ihnen bekannte englische Meile zugrunde läge, er aber im Vertrag – den nur der Missionar lesen konnte – die geographische Meile festschrieb. So hatten die Namas ein Gebiet verkauft, das fast fünf mal so groß war, als sie annahmen.

Nach den Landkäufen durch deutsche Kaufleute und Afrikaforscher wurde die Reichsregierung gedrängt, die privat erworbenen Gebiete unter den Schutz des Reiches zu stellen, denn erst das garantierte die Gültigkeit des Kaufvertrages.

Reichskanzler Bismarck, der zunächst kolonialen Erwerbungen ablehnend gegenüberstand, änderte seine Einstellung zu Anfang der 80er Jahre und ließ sogenannte Schutzverträge ausstellen. Ein Euphemismus, wenn man das tatsächliche Geschehen betrachtet. Denn in fast allen Fällen mußten deutsche Kriegsschiffe eingesetzt werden; Marinesoldaten gingen mit Bajonetten gegen die Einwohner vor, um sie von der Notwendigkeit des »Schutzes« zu überzeugen. So wurden Ostafrika, Südwestafrika, Kamerun, Togo, Kiautschou, Samoa und ein Teil von Neuguinea »erworben«. Die Gebiete wurden dann auch nicht Kolonien, sondern »Schutzgebiete« genannt. Nach der »völkerrechtlichen Inanspruchnahme« dieser letzten noch »freien« Gebiete begann das, was mit einem anderen Euphemismus die Erforschung des Landes genannt wurde.

Der ehemalige Gouverneur von Deutsch-Ostafrika, Heinrich Schnee, schreibt in seinem Buch *Die Deutschen Kolonien* über den »Erwerb« von Togo: »In den ersten Jahrzehnten nach der Flaggenhissung gingen militärische Besetzung und wissenschaftliche Forschung Hand in Hand.«

Im Gefolge der Militärs, der »Schutztruppe«, die meist aus eingeborenen Soldaten unter der Führung deutscher Offiziere und Unteroffiziere bestand, kamen Händler, Prospektoren und Landagenten.

Kolonialgesellschaften wurden gegründet. Die Gesellschaften »erwarben« von den Landeseinwohnern Land- und Schürfrechte. Seit 1906 – veschiedene Großbanken (Dresdner Bank, Deutsche Bank, Disconto Gesellschaft) begannen die Kapitalanteile der Kolonial-Gesellschaften aufzukaufen – wurde der Bau von Eisenbahnen und die Erweiterung der Plantagenwirtschaft vorangetrieben.

Damit begann im großen Maßstab das, was man als »selbstgewählten Zivilisationsauftrag« verstand: »Die Erziehung der Afrikaner zur Arbeit«, denn erst damit war eine Voraussetzung für eine wirksamere wirtschaftliche Ausbeutung des Landes gegeben. Dem stand im Weg, daß die meisten Afrikaner keine Mehrarbeit gewohnt waren. Unter den günstigen klimatischen Voraussetzungen ernährte die Naturalwirtschaft die Menschen, die zumeist in klassenlosen Gemeinschaften lebten, so gut, daß sie nur mit einem geringen Arbeitsaufwand für ihren Lebensunterhalt sorgen mußten.

Über das Problem, wie man die Afrikaner zu einer disziplinierten Arbeit bringen könne, ist damals viel diskutiert worden, und dabei war von einem kulturellen Sendungsauftrag keine Rede mehr. In dem Standardwerk der damaligen Zeit *Das Deutsche Kolonialreich*, 1910 von Hans Meyer herausgegeben, wird das Problem so erörtert: »Die Grenze (der brauchbaren Arbeiter, U. T.) ist durch die Bedürfnislosigkeit des männlichen Negers und durch seine starke Abneigung gegen jede anhaltende energische Arbeit gezogen. Fremde farbige Arbeiter einzuführen hat viele Übel im Gefolge, und im Grunde kommt es uns doch gerade auf die Ausnutzung der großen natürlichen Arbeitskräfte unserer eigenen Schutzgebiete an. Daher bedarf es auch in der Plantagenwirtschaft wie in den Volkskulturen eines gewissen *Drucks* auf die Eingeborenen, um durch ihre Mitarbeit die Kolonien weiter zu entwickeln. Am wirksamsten und zugleich am wenigsten fühlbar wird immer der *indirekte* Zwang sein, der durch die Konkurrenz einer starken Bevölkerungszunahme ausgeübt wird. Eine Land- und Bevölkerungspolitik, die auf Einschränkung der durch die jetzige Wirtschaftsmethode der Eingeborenen ungeheuer ausgedehnten Landnutzung, auf Begrenzung der Freizügigkeit (z. B. durch Paßvorschriften) und auf Vermehrung der Menschen abzielt (durch Bekämpfung der Seuchen, der Vielweiberei, der weitverbreiteten Abtreibung und enormen Kindersterblichkeit), erreicht den Zweck am natürlichsten. Wenn Wettstreit um die Lebensmittel geführt werden muß, kann der männliche Neger nicht mehr neun Zehntel seines Lebens im Nichtstun verbummeln. Aber dieses Verfahren des Konkurrenzzwanges dauert Jahrzehnte, bis es merkbare Resultate zeitigt. So lange kann unsere Plantagenwirtschaft nicht warten; sie bedarf daher noch anderer Mittel. Das radikalste, der von Carl Peters vorgeschlagene Arbeitszwang in Form einer Arbeitsdienstpflicht, ist nicht anwendbar ohne eine ansehnliche Armee, fällt also schon deshalb fort, abgesehen von anderen Gründen.« (S. 398)

Dieses Zitat ist typisch für die Ideologie der Kolonisatoren. Sie entspringt dem ökonomischen Denken und wird von einem fraglosen Überlegenheitsgefühl bestimmt, das sich wiederum im technischen Fortschrittsglauben gründet. So wird für den Kolonisator jede andere Lebensform zum schlechthin Anderen, Fremden, Primitiven, ohne daß er überhaupt in der Lage wäre, diese andere Kultur in ihrer Eigenart als reich und kompliziert zu verstehen. Der »Primitive« wurde, ob in Ostafrika, Samoa oder Neuguinea, stets durch die in der eigenen Zivilisation festgelegten Negativeigenschaften bestimmt: Er war faul, schmutzig und dumm. Dort, wo er nicht einfach als Arbeitstier gesehen wurde, sollte er zu einem zivilisierten Menschen erzogen werden, so weit das möglich war, wobei die Möglichkeit als nicht allzu groß eingeschätzt wurde.

Es ist sehr bezeichnend, daß die Afrikaner, die »Neger«, immer wieder mit störrischen Kindern verglichen wurden. Entsprechend behandelte man sie, man versuchte ihnen das einzubläuen, was einem in der Kindheit selbst eingebläut worden war: Pünktlichkeit, Ordentlichkeit, Fleiß.

Damals wurde zwar in allen Kolonien kräftig geprügelt, in den deutschen vielleicht doch noch etwas mehr. Im Alltag spontan mit der Faust oder dem Fuß, amtlich und darum aktenkundig mit der Nilpferdpeitsche und dem Tauende. Auf Antrag des »Arbeitgebers« konnten die »eingeborenen Arbeiter« nach einer bis zum Verlust der Kolonien geltenden Verfügung vom 22. April 1896 bei »Trägheit«, »Pflichtverletzung«, »Widersetzlichkeit« und »unbegründeten Verlassens ihrer Dienststelle« mit körperlicher Züchtigung oder mit Kettenhaft bestraft werden. Wie man den von deutschen Beamten sorgfältig geführten Berichten über die Zahl der Prügel- und Rutenstrafen entnehmen kann, war in allen Kolonien eine von Jahr zu Jahr stark ansteigende Zahl von Exekutionen zu verzeichnen. Die Regel waren 25 Hiebe, und Kamerun wurde vor dem ersten Weltkrieg »the twenty-five country« genannt.

»Selbsterhöhung des Kolonisators – Abwertung des Kolonisierten« – Albert Memmi hat in seinem Buch *Der Kolonisator und der Kolonisierte* diese Dialektik beschrieben und aufgezeigt, zu welchen psychischen Deformationen sie notwendig bei beiden führt.

Der Kolonisator verrottet moralisch, wenn er die Kolonisation akzeptiert; lehnt er sie ab, verneint er sich selbst.

Der Kolonisierte hat zwei Möglichkeiten:
Entweder er gibt seine Kultur und damit sich selbst auf, indem er versucht, sich dem Kolonisator anzupassen. Die Folge ist dann immer der »kleine Europäer«: die vom Kolonisator belächelte Karikatur seiner selbst. Oder aber der Kolonisierte entscheidet sich für die Revolte. Es gibt verschiedene Formen der Revolte: Ungehorsam, Arbeitsverweigerung, endlich den bewaffneten Aufstand.

Die Antwort der Kolonisatoren, in unserem Fall der Deutschen, war auf Ungehorsam die Peitsche, auf Arbeitsverweigerung die Kettenhaft und auf den bewaffneten Aufstand Erschießen, Erhängen und versuchter Völkermord. Nach der Schlacht am Waterberg 1904 wurden die überlebenden Hereros in die Wüste Omaheke getrieben, und der Kommandeur der deutschen Schutztruppe, General v. Trotha, erließ folgende Proklamation: »Innerhalb der deutschen Grenzen wird jeder Herero mit oder ohne Gewehr, mit oder ohne Vieh erschossen. Ich nehme keine Weiber und Kinder mehr auf, treibe sie zu ihrem Volk zurück oder lasse auf sie schießen.«

Und der Chef des Generalstabs, Generaloberst Graf Schlieffen, schrieb an die Kolonialabteilung: »Daß er (General v. Trotha, U. T.) die ganze Nation (der Hereros) vernichten oder aus dem Land treiben will, darin kann man ihm beistimmen. Ein Zusammenleben der Schwarzen mit den Weißen wird nach dem, was vorgegangen ist, sehr schwierig sein, wenn nicht erstere dauernd in einem Zustand der Zwangsarbeit, also einer Art Sklaverei erhalten werden. Der entbrannte Rassenkampf ist nur durch die Vernichtung einer Partei abzuschließen.«

Im Maji-Maji Aufstand in Ostafrika kamen bis zu dessen Niederschlagung durch die »Schutztruppe« im Jahr 1907 fast 100 000 Menschen um.

In der kurzen Geschichte des deutschen Kolonialreichs hat es mehrere Aufstände in fast allen Kolonien gegeben. Die Zahl der Opfer ist unbekannt. Die Kolonialbehörden haben sich, wie beispielsweise in Kamerun, nicht einmal die Mühe gemacht, sie zu schätzen. Die Selbstverständlichkeit, mit der im Namen der deutschen oder abendländischen Kultur unterdrückt, gequält und getötet wurde, findet einmal ihre Erklärung in der beständigen Angst des Kolonialherren vor dem Kolonisierten. Denn der Unterdrückte ermöglicht nicht nur das Herrendasein, sondern stellt es – allein durch seine Existenz – auch immer in Frage. Vielleicht gibt es aber auch noch einen anderen, tieferliegenden Grund: Daß der Kolonisator in seiner schier grenzenlosen zivilisatorischen Überlegenheit sich durch die andere, »primitive« Lebensweise negiert sah. Diese andere, notwendig unverstandene Lebensform ist ihm möglicherweise so vernichtenswert, weil darin seine eigenen hochgeschätzten Tugenden als Untugenden zurückgespiegelt werden, weil er die Eigenschaften, die ihm seine Überlegenheit sichern, mit Verlusten erkaufen mußte. Er bezahlte Fleiß mit Muße, Tapferkeit mit Lebensfreude, Disziplin mit Spontaneität und die vielgepriesene Ordnungsliebe mit Phantasie. Das, was er beständig verdrängen muß, macht ihm die andere Lebensform so hassenswert. Vielleicht tötet er mit dieser »kulturellen« Genugtuung, weil er in sich selbst etwas Ungelebtes ganz abtöten muß, eine andere Art zu leben, eine »fremde« Welt.

Die Fotos in diesem Band zeigen beide Welten, die der Kolonisatoren und die der Kolonisierten. Es sind zwei getrennte Welten, und sie bleiben es auch dann, wenn einzelne sich verkleiden und versuchen, in die andere Welt sich einzuschleichen: Die Missionare im Gewand der Bali, oder der Afrikaner in dem viel zu großen Hochzeitsfrack. Diese zwei Welten stehen sich gegenüber wie in den Fotos, deren eines deutsche Schutztruppenoffiziere unter ihrer Standarte in Südwestafrika zeigt, und ein anderes den Rebell Morenga. Der Guerillaführer und ehemalige Minenarbeiter steht inmitten seiner zerlumpten Guerilleros – ein paar Mann, die über Jahre dem Deutschen Reich den verlustreichsten Krieg zwischen den beiden europäischen Kriegen von 1870/71 und 1914/18 lieferten. Kurz bevor er 1907 fiel, schrieb Morenga auf die Frage, warum er auch in einer aussichtslosen Situation weiterkämpfte: »Lieber aufrecht sterben, als auf allen Vieren zwischen den Klippen herumkriechen.«

Die Fotos zeigen aber auch, wie die Kolonisatoren sich selbst und wie sie die Kolonisierten sahen. In der Art, wie sich die Weißen der Kamera stellen, wird etwas von dem sichtbar, was sie nach Afrika, China oder in die Südsee getrieben hat. Das waren nicht nur finanzielle Interessen, sondern auch Abenteuerlust, die Sehnsucht nach dem fernen »exotischen« Land, der Versuch, der moralischen und konventionellen Enge des wilhelminischen Deutschland zu entkommen, das Selbstverständnis, »Kulturbringer« zu sein, und der Kindertraum, als Forscher durch fremde Länder zu reisen.

Betrachtet man das Porträt des Bremer Großkaufmanns Lüderitz, des »Begründers« von Deutsch-Südwestafrika, dann scheint von all dem etwas auf. Lüderitz verkörperte den Typus des frühen Kolonialisten. So wie er vor seinem Ochsenwagen steht, erinnert er nicht zufällig an eine Gestalt aus dem Wilden Westen. Er ist der Abenteurer, der das sagenhafte Diamantenfeld in Südwest suchte (das dann auch 25 Jahre später dort gefunden wurde, wo er es vermutet hatte); der Händler: er betrieb eine Faktorei in Angra Pequena, der heutigen Lüderitzbucht; der Forscher: er zeichnete Landkarten – darum hat er sich wohl auch mit dem Sextanten in der Hand fotografieren lassen. Abenteuerlich war auch sein Ende. Er ist in dem riesigen menschenleeren Land verschwunden – verschollen, wahrscheinlich im Oranje ertrunken.

In späteren Jahren ändert sich der Typus des Kolonisators: Handwerker, kleine Händler, Beamte, Unteroffiziere und Offiziere treten in den Vordergrund; sie alle stellen sich meist in der Herrenpose vor die Kamera, im Hintergrund oder ihnen zu Füßen die schwarzen Diener. Uniformen herrschen vor. Vergleichbare Fotos aus den englischen Kolonien zeigen Beamte und Offiziere, wenn sie nicht im Dienst sind, weitaus ziviler. Es ist denn auch nicht überraschend, daß die wilhelminische Uniformmanie auch auf die Kolonisierten übergriff, denn dort, wo sie versuchten, sich den Kolonialherren anzupassen, findet man sie meist in Uniformen. Selbst der dreckigste und abgerissenste Uniformfetzen gab noch einen Abglanz von jener Omnipotenz, die von der deutschen Uniform ausging.

Königen und Häuptlingen verlieh man die Uniform als höchste Würdigung. Und so steht der König Njoya, den man zuvor noch in seinem reichen Gewand auf dem Thron sitzen sieht, plötzlich wie verkleidet und ziemlich ärmlich daneben. Und der Häuptling, der in Kamerun dem Staatssekretär Solf vorgestellt wird, hat sich mit der deutschen Uniform offensichtlich auch den Kasernenhofton zugelegt, jedenfalls brüllt er seinen Dolmetscher, der ebenfalls Uniform trägt, kräftig an.

Der Kolonisierte erscheint in den Fotos meist als Exote, als Arbeiter (oft stehen Weiße als Aufseher in der Nähe), oder aber er wird zum Objekt des Voyeurismus. Eine schwarze Brust zu zeigen war in der sehr prüden wilhelminischen Zeit gerade noch erlaubt. Die Kolonisierten werden oft – die Missionsbilder sind eine Ausnahme – wie Objekte zur Schau gestellt.

Fast alle Fotos erzählen eine Geschichte. Die Bildlegenden geben manchmal einen Hinweis auf den Anlaß, die Gegend und die Zeit. (Grundsätzlich wurden die originalen Bildbeschriftungen abgedruckt, nur in einigen wenigen Fällen vom Herausgeber geändert, wo von späterer Hand offensichtlich falsche Angaben gemacht worden waren.) Die eine oder andere Erklärung konnte der Herausgeber liefern, aber die meisten Geschichten muß der Betrachter selbst aus den Fotos lesen. Sie sprechen für sich und erlauben es, sich ein Bild vom deutschen Kolonialreich zu machen.

Deutsch-Ostafrika

Reinhard Vortisch
Kaiserlicher Oberrichter von Deutsch-Ostafrika

Peter'sche Expedition in Masinde
(Zweiter von rechts Carl Peters)

Dr. Carl Peters gründete 1884 die »Gesellschaft für deutsche Kolonisation«. Im selben Jahr schloß er in Ostafrika »Landverträge« ab und gründete die »Deutsch-Ostafrikanische Gesellschaft«. Unter dem Einsatz von Söldnertruppen wurde das Gebiet ausgeweitet. Mit brutalen Methoden, so auch durch Arbeitszwang, versuchte Peters, die von ihm »erworbenen« Gebiete wirtschaftlich auszupressen. Peters wurde zum Reichskommissar in Ostafrika ernannt. 1895 wurde er – nach Protesten im Reichstag – wegen seiner grausamen Methoden abberufen und verurteilt. Titel und Pensionsansprüche wurden ihm 1914 wieder zuerkannt.

Hermann von Wissmann durchquerte zweimal Afrika. 1888 schlug er im Auftrag der Reichsregierung einen Aufstand der Küstenbewohner und Araber nieder. Zehntausende Afrikaner wurden ermordet. 1895/96 war er Gouverneur von Deutsch-Ostafrika.

Rechts oben: Der deutsche Afrikaforscher Hermann von Wissmann (1853–1905) als Reichskommissar bei einer Verhandlung mit Eingeborenen (um 1890)
Rechts unten: Das Lager »Buschire bin Salim el Harthi« vor Bagamoyo, erstürmt durch die Wissmann-Truppe (1889)

Deutsche Schutztruppe (Askaris)
vor dem Gouverneurspalast in Daressalam (1907)

Daressalam: Besuch des deutschen Kolonialministers Dernburg und Empfang des Sultans von Sansibar Said Khalid (1907)

Bernhard Dernburg war Direktor der Darmstädter Bank und Mitglied von 38 Aufsichtsräten, bevor er in den Regierungsdienst trat. Er galt in Bankkreisen als Spezialist für die Sanierung von desolaten Unternehmen.
In der Krise des deutschen Kolonialismus – nach den großen Aufständen in Südwestafrika und Ostafrika –, wurde er im September 1906 zum stellvertretenden Leiter der Kolonialabteilung des Auswärtigen Amtes berufen. Ab 1907 war er Staatssekretär des neugeschaffenen Reichskolonialamtes. In der »Aera Dernburg« begannen sich die Banken für die Kolonien zu interessieren. Es kam zu einem verstärkten Kapitalexport. Dernburg mußte 1910 zurücktreten.

Eine Sektion der Wissmanntruppen. Offizielle »Deutsche Schutztruppe in Ostafrika« mit einem eingeborenen Offizier (rechts) im Jahre 1899. Vorn sitzend Wissmann und Oberstleutnant Schäffler, stehend: Hauptmann Böhlau und Hauptmann Behr

Auf dem Zebra

Zebra im Gespann

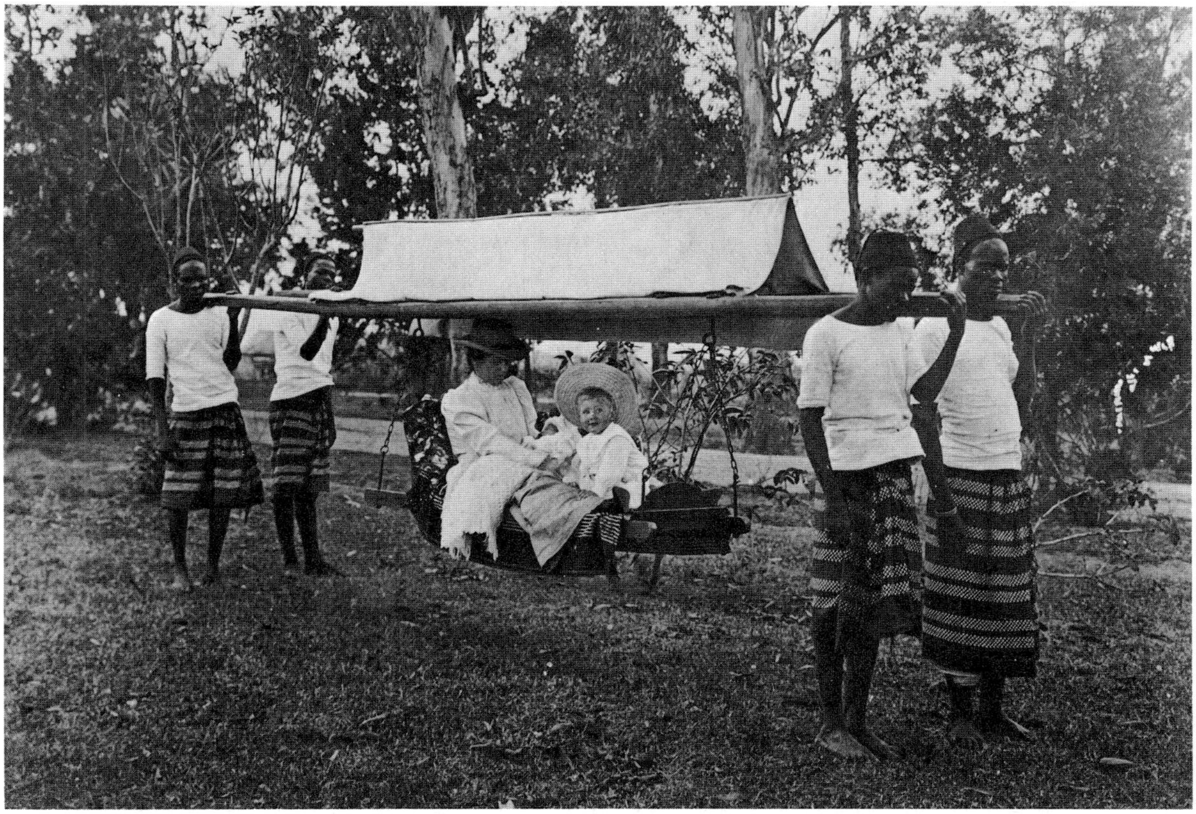

Aufbruch für eine Reise in das Landesinnere
(um 1905)

Kaisers Geburtstag in Daressalam

Höherer deutscher Beamter in seinem Arbeitszimmer in Daressalam (1901)

Inderkinder und deutsches Kind
mit schwarzem Kindermädchen

Kleiner Reiter auf Elefantenbaby Jumbo

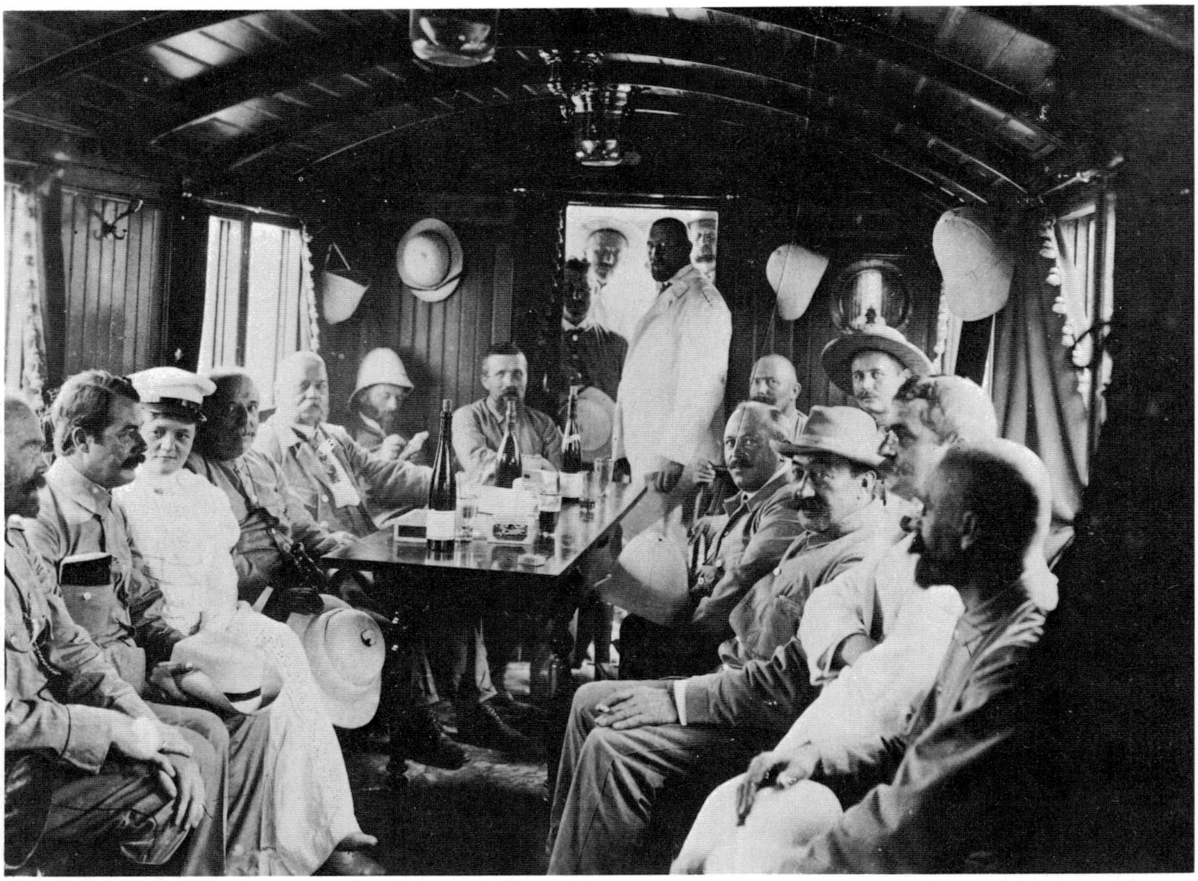

Im Salonwagen der Usambara-Bahn.
Links das Ehepaar Prince – sie Tochter eines deutschen Großgrundbesitzers, er Offizier der Schutztruppe und »Pionier der kolonialen Landwirtschaft«. (1912)

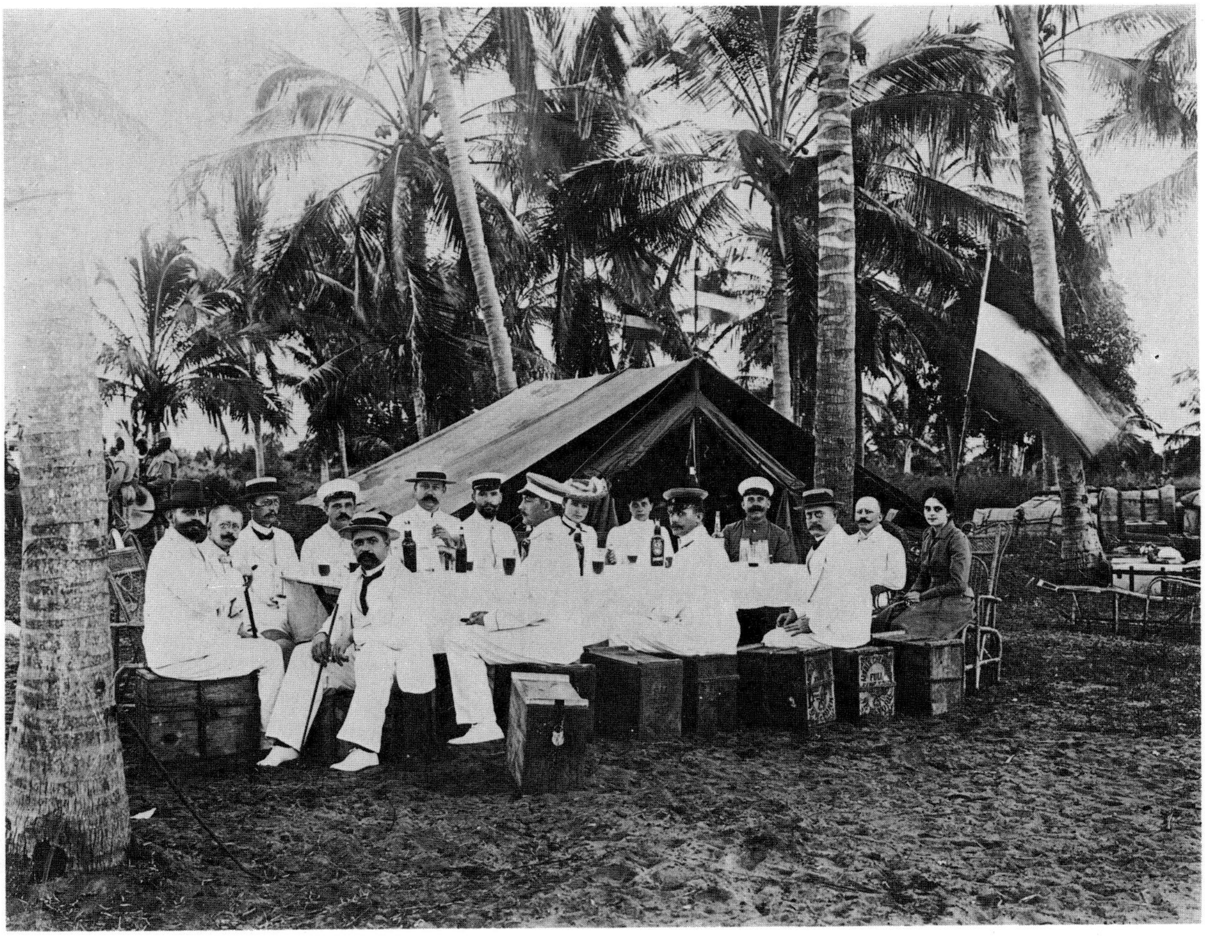

Daressalam: Abschiedsfeier für ein Ehepaar, das nach Tabora reisen wird (um 1906)

Ein Sultan

Häuptling Makanagamo
(aus Alt Langenburg)

Inneres eines Pflanzerhauses
in Daressalam

Daressalam, Gruppe von Wohnhäusern

Häuptling Mlelia mit seinem »Clan«
vor seinem Palast in Kiboscho (um 1900)

Eine schwarze Schöne

Eingeborenenfrau in Deutsch-Ostafrika (um 1900)
Folgende Seite: Suaheli-Mädchen

52A

Eingeborenenfrauen von Sansibar (um 1900)

Irrenanstalt Lutindi in Usambara

Sanitätsraum

Leprakranke aus dem Lepraheim Bagamojo

Gesundheitsdienst in Daressalam – Pestbekämpfung

Kautschukpflanzung

In der Sisalfabrik – Entfasern des Sisals

Kautschukzapfer liefern ihre Zapfergebnisse ab
Rechts oben: Hackarbeiten auf einer Pflanzung
Rechts unten: Baumwollernte

403A

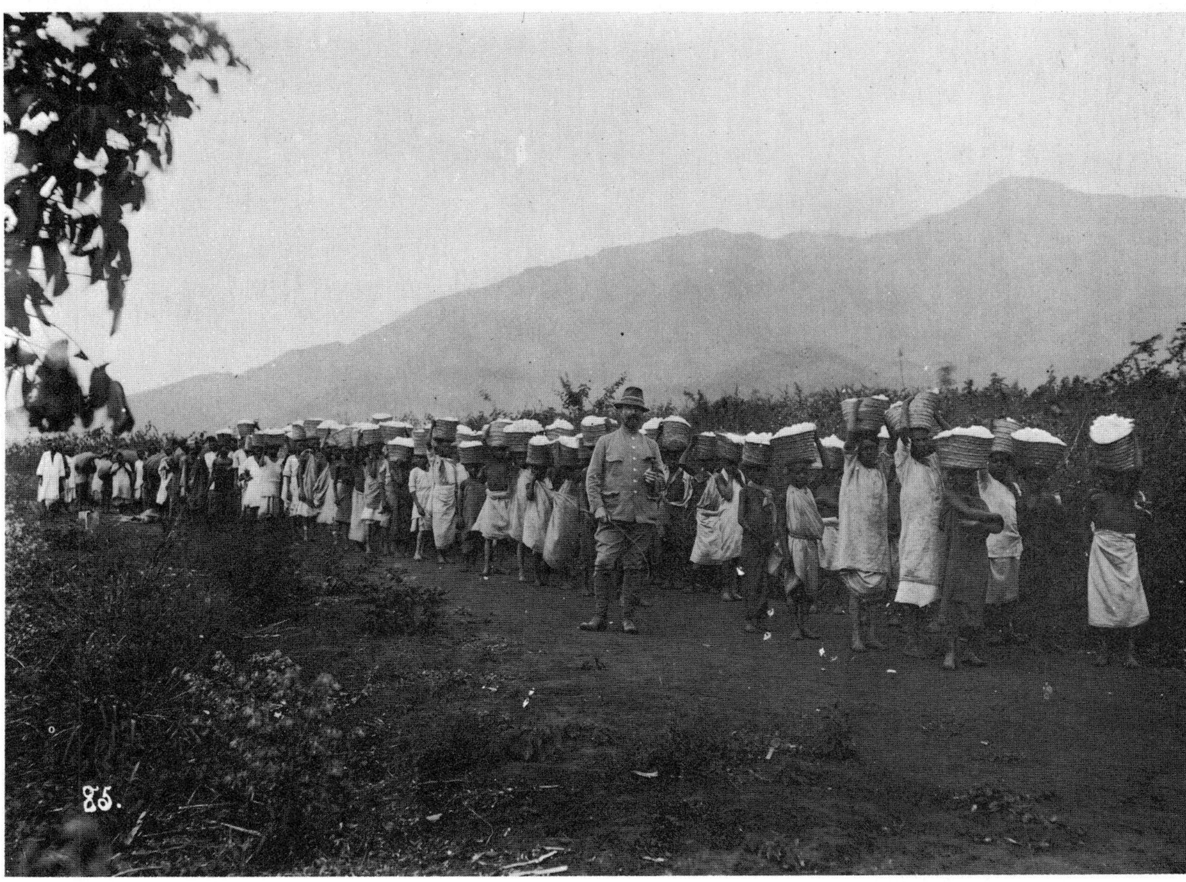
85.

Pressen des Sisals in Ballen

Cognac-Brennerei

Im Glimmerstollen

Beim Glimmerschürfen in den Ulugurubergen

Kettengefangene beim Straßenbau (um 1905)

Eingeborene in Ketten (um 1900)

Links: Weltkrieg 1914, Askaris
Rechts: Askari mit der Reichsfahne

Vor der Boma von Moschi

Polizeitruppe in Daressalam

Askari beim Übungsschießen

In Stellung (Weltkrieg 1914)
Links oben: Das einzige Flugzeug – unser neues selbstgebautes Wasserflugzeug (Weltkrieg 1914)
Folgende Seite: An der Revolverkanone (Weltkrieg 1914)

Zerstörtes Haus (Club)
(Weltkrieg 1914–18)

Zerstörter Gouverneurspalast
(Weltkrieg 1914–18)

Deutsch-Südwestafrika

Maharero (Oberhäuptling der Hereros)

Hottentottin 1883

Lüderitz Dezember 1885
Walfisch Bay

Rechts: Wiessel, *links:* Sickel

Julius und Samuel Maharero
(Samuel Maharero, der spätere Oberhäuptling der Hereros und ihr Führer im Aufstand gegen die Deutschen, im Jahr 1904)

Kambasembi

Hereros

Bergdamaras

Hereros

E. Hälbich und Familie
(Eine der ersten deutschen Kolonialistenfamilien,
die 1864 ins Land kamen)

Manasse von Omaruru 1882
(Später einer der Führer im Hereroaufstand
von 1904)

Rädecker
(Eine der ersten deutschen Kolonialistenfamilien,
die 1864 ins Land kamen)

Der Herero-Aufstand 1904
Zusammenkunft des Gouverneurs Leutwein mit
Maharero und Manasse in Deutsch-Südwestafrika

Dr. Göring
Erster Reichskommissar von Südwestafrika (1885–1889)

Hendrik Witboi war Kapitän (Oberhaupt) der Witboi-Namas, von den Deutschen Witboi-Hottentotten genannt. Er hatte sich den »Schutzverträgen« nicht unterworfen und wurde darum mit seinem Volk 1893 von der deutschen »Schutztruppe« angegriffen. Die Witboi-Namas gingen zu einem Guerillakrieg über. Der neue Landeshauptmann, Major Leutwein, schloß mit Witboi einen Schutz- und Freundschaftsvertrag, den der Kapitän bis 1904 einhielt, dann gab er den Befehl zum Aufstand gegen die Deutschen. 1905 fiel Witboi achtzigjährig bei Fahlgras. Gouverneur Leutwein schrieb über Hendrik Witboi: »Sein hartnäckiger Widerstand gegen das mächtige Deutsche Reich an der Spitze einer kleinen, kriegsgewandten, aber ebenso zerlumpten, wie bettelhaften Schar, dann sein zehnjähriges treues Festhalten an unserer Sache und endlich das Wagnis eines abermaligen Aufstandes gegen uns haben seinen Namen in gutem wie in bösem Sinne mit der Geschichte des Schutzgebietes untrennbar verbunden.«

Theodor Leutwein wurde 1895 Landeshauptmann und 1898 Gouverneur des Schutzgebietes. Er versuchte, nach dem Prinzip »teile und herrsche« die deutsche Kolonialherrschaft zu etablieren. Dazu gehörten militärische Aktionen, Verhandlungen und persönliche Kontakte zu den einzelnen Häuptlingen.
Sein Ziel, eine Kolonialverwaltung zu errichten, die auf einer »friedlichen« Zusammenarbeit zwischen Einheimischen und deutschen Siedlern beruhte, scheiterte endgültig mit dem Ausbruch des großen Hereroaufstandes im Jahr 1904.
Dem Aufstand schloß sich wenige Monate später Hendrik Witboi an, der zuvor den Deutschen Hilfstruppen im Kampf gegen die Hereros geschickt hatte. 1904 wurde Leutwein abberufen.

Hendrik Witboi, Kapitän der Witboi-Hottentotten mit seinen Töchtern

Isaak Witboi
Sohn des Hendrik Witboi

Hendrik Witboi mit seinen Söhnen

Mittagsrast einer Kamelreiterei

Deutsche Offiziere

Morenga mit Guerilleros

»Morenga ist ein Hererobastard, d. h. Abkömmling eines Hottentotten und einer Hererofrau. In seinen kriegerischen Eigenschaften scheint er die Vorzüge beider Stämme zu vereinigen, d. h. die Verschlagenheit und Schlauheit der Hottentotten mit der Tapferkeit und dem Fanatismus der Hereros. Daneben besitzt er auch die stattliche Figur der letzteren.« Gouverneur Leutwein.
Morenga war kein Häuptling, sondern Minenarbeiter. Er eignete sich eine für einen Afrikaner unter damaligen Verhältnissen ungewöhnliche Bildung an, so beherrschte er mehrere Sprachen. Er war schon an dem Aufstand der Bondelzwarts 1903 beteiligt. Im Juli 1904 eröffnete er als erster Nama-Führer den Kampf gegen die deutschen Kolonialherren. Er war auch der erste, der in Afrika den modernen Guerillakampf entwickelt und militärtheoretisch begründet hat, wie Interviews in englischen Zeitungen belegen. Am 21. September 1907 fiel er im Kampf mit englischen Truppen, die mit den deutschen Truppen kooperierten.
Das Foto zeigt ihn wahrscheinlich Anfang 1907 während seines Exils in der Kap-Kolonie.

Geschütz im Gefecht bei Aob gegen Morenga
und seine Guerilleros (1905)

Maschinengewehr im Gefecht gegen aufständische Hottentotten bei Aob (1905)

Offizier der Schutztruppe mit Jagdtrophäen

Soldaten der deutschen Schutztruppe in Deutsch-Südwestafrika bei einer nützlichen Freizeitbeschäftigung (um 1910)

General Schlieffen schreitet die Front der Soldaten ab, die zur Niederschlagung des Herero-Aufstandes nach Deutsch-Südwestafrika geschickt werden

Laientheater in einem Lager der deutschen
Schutztruppe in Deutsch-Südwestafrika (um 1910)

Hottentottenfarm in Namaland

Bastardmädchen aus dem Süden von Lüderitzland

Überlebende der Hereros, die von der deutschen Schutztruppe nach der Schlacht am Waterberg in die Wüste Omaheke gejagt worden sind

Gefangene Aufständische (Hereros)

Windhuk nach dem Aufstand

Hochzeit des Stabsarzts Kuhn
in Deutsch-Südwestafrika
Folgende Seite: Spaß und Unterhaltung
im Lager der deutschen Schutztruppe
in Deutsch-Südwestafrika (um 1910)

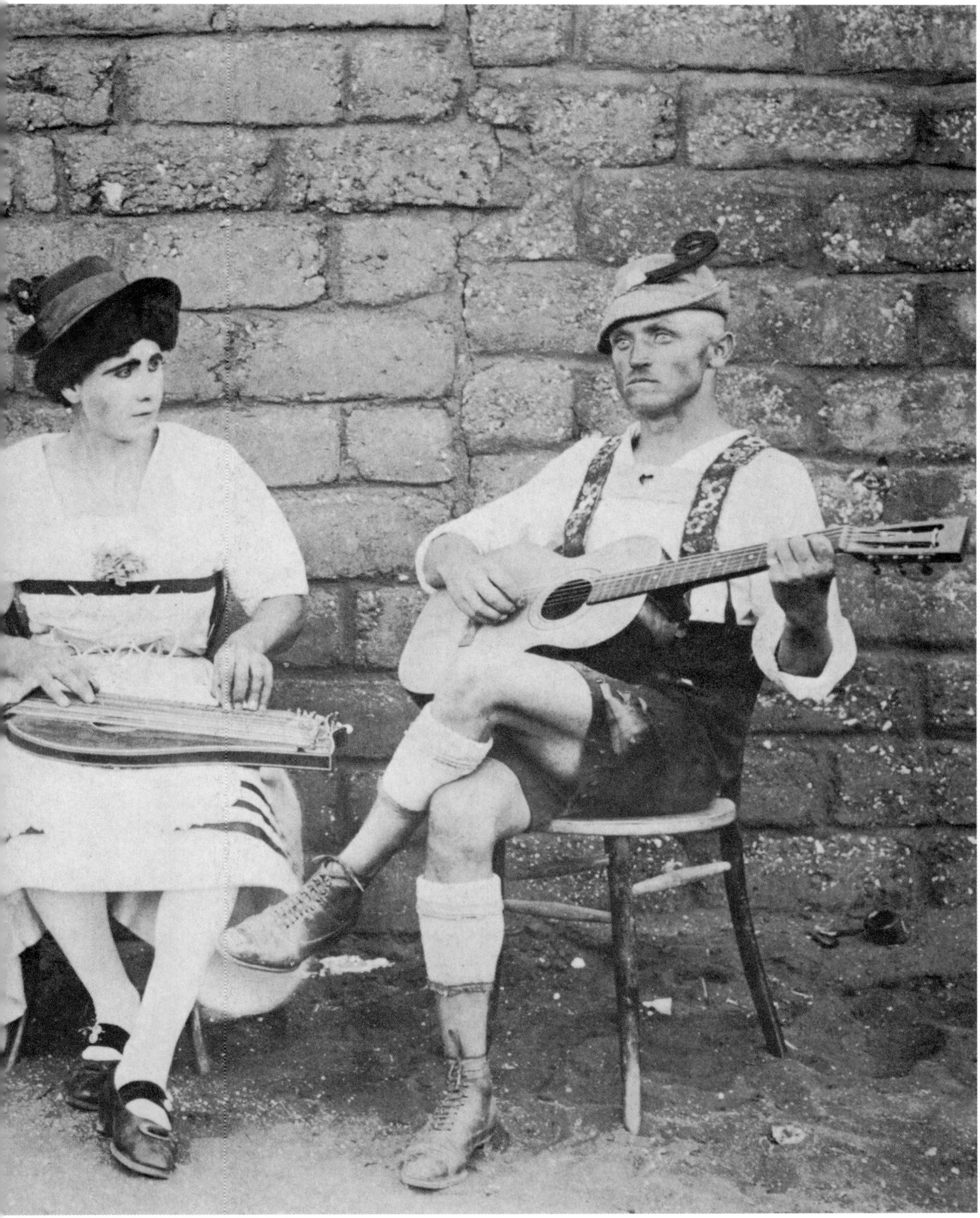

Kamerun

Festlichkeit in Anwesenheit von Gouverneur
Karl Ebermaier (1913)

Besuch von Staatssekretär Dr. Solf und Frau
3. und 4. Sept. 1913. Begrüßung von
Nanga-ebokos-Dolmetscher Atangana

Dr. Wilhelm Solf, von 1900–1911 Gouverneur von
Samoa. 1911/18 war er Staatssekretär des Reichskolonialamtes.

Besuch von Staatssekretär Dr. Solf und Frau (am 3. und 4. Sept. 1913)
Solf und Ebermaier auf der Treppe

Karl Ebermaier war von 1912–1915 Gouverneur von Kamerun. Er setzte mit ausdrücklicher Zustimmung des Kolonialamts 1912 die Enteignung der Duala in der gleichnamigen Stadt durch. In dem ehemaligen Siedlungsgebiet sollte eine europäische Stadt gebaut werden. Nach einem Protest des Oberhäuptling Manga Bell, der damit drohte, die »Schutzverträge« aufzukündigen, ließ Ebermaier den Oberhäuptling absetzen und strengte einen Hochverratsprozeß gegen ihn an. Trotz der Proteste der in Kamerun tätigen Missionsgesellschaften wurden Manga Bell und sein Sekretär zum Tode verurteilt und 1914 hingerichtet.

Die Frau von Gouverneur Dr. Seitz.
(Von 1910–1911 Gouverneur in Kamerun, von
1911–1915 in Deutsch-Südwestafrika.)

Die ersten 20 Polizeisoldaten in Kamerun
mit Premierleutnant Steinhausen

Wohnraum eines Pflanzers

Haus eines Pflanzers

Wohnhaus eines Offiziers der Schutztruppe

Haus des Gouverneurs in Buëa

Zwei Gratulanten in Sakbajeme

Weihnachten in Kamerun

Missionar Vielhauer mit seinen Hausburschen, Bali

Kolonisten (Pflanzer) Paschem und Hamann, Nyasoso

Ein Lehrer in Duala mit Braut
(1902 getraut von Miss. Hecklinger)

Koch und Küchenjunge der Frau Göring

Oberhäuptling Manga Bell
in seinem Palast in Bellstadt,
Duala

Hauskinder von Geschwister Köster, Bonaku

Die ersten Getauften in Bali

Häuptlinge der Mbongestadt Liène

Missionsgeschwister beim Missionshaus Bonaberi

Bali: Schwester Merkle (spätere Frau Geprägs)
und 2 Patientinnen

Nähschule in Mangamba
mit den Frauen Glockel und Köster

Lehrlinge der Missionsschreinerei Duala, 1909

Abmarsch von Bombe nach Bali, 1906

Missionar Göhring und Leimbacher auf der Reise

Missionare Keller und G. Spellenberg
in Baligewand

König Njoya auf seinem Thron in Fumban

König Njoya von Bamun in Offiziersuniform

Der Häuptling (Njoya) mit Lieblingsfrau

Häuptlingsdiener und Frau
Folgende Seite: Der Häuptling (Njoya)
mit seinen Kindern

Spiel vor dem Häuptlingsgehöft Bamun

Brüder des Häuptlings (des Njoyas) – ein Christ

Königs-Tochter Lydia Ndamboked (Fumban)

2 Königssöhne mit Trommel (Fumban)

Missionsgeschwister mit dem Häuptling (Njoya)

Missionsgeschwister und Häuptlingsmutter (Bamun)

Links: Der Pflanzer und Händler Robert Pritschler
Rechts: Afrikanerin

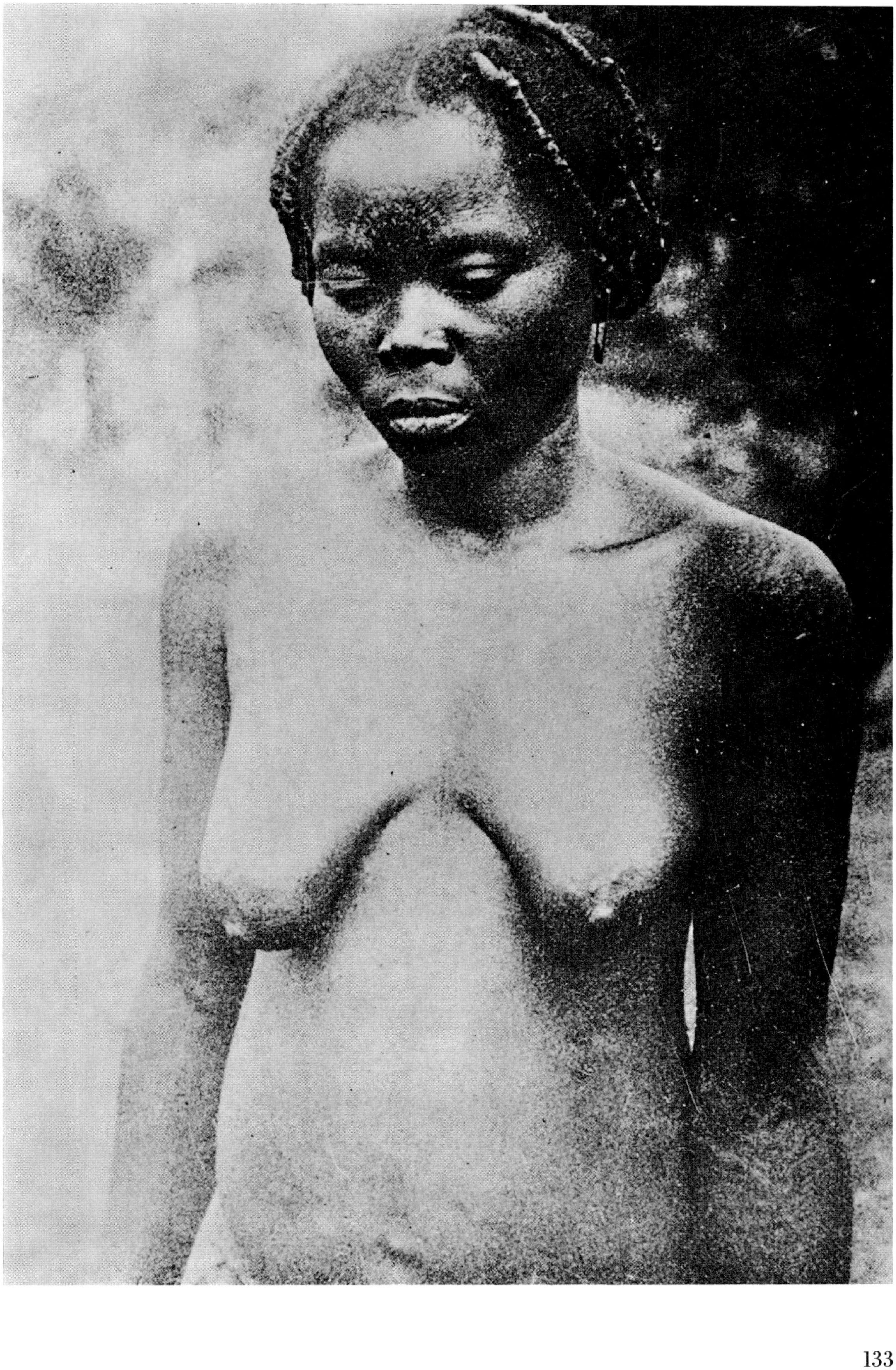

Togo

König Zeberim von Nanumba

Katechist P. Fleischer samt Frau
und einem Neffen

Katechist Paul Standt und Frau

Yendis Älteste

Palaver in Bimbila

Häuptling von Leklebi mit Familie

Unsere Missionare bei deutschen Kolonialbeamten

Unsere Reisenden als Gäste bei den englischen Regierungsbeamten (in Tamale um 1911)

Abfahrt der Missionsgeschwister von Palime
28. Dez. 1912

Übergang über den Volta

Brücke über den Haho-Fluß
Missionar Däuble, Herr Spitzbarth u. Miss Diehl

Missionsschule in Akpafo, mit Missionar
A. Pfisterer

Katechist Th. Svaniker und Frau
samt 3 Brüders Kinder

Schule in Westheim

Schule in Westheim

Kaufleute der Bremer Faktorei in Togo

Beachyard with all our labourers on Land Lome,
25.8.1906 Fa. Friedrich Oloff, Bremen

Reisen in Zentralafrika:
Herr Venilleone
in der Hängematte (um 1885)

Regierungsstation Bassari

Deutsche Station Hedwigswart, Kete-Krakye

Hirsebehälter bei Tongo

Konkoba-Gehöft Sadji

Totenfeier in Akpafo

Leibgarde eines Ewe-Häuptlings im Kriegsschmuck (1907)

Hammochreise nach Dauve 27. 8. 1906

Mädchenschule in Gross Popo (um 1885)

Eingeborene Beamte der Kaiserl.-deutschen Post-
agentur in Klein Popo (um 1888)

Samoa

König Gouri und Gemahlin

Samoa

Samoanische Häuptlinge
an Bord eines deutschen Kriegsschiffes

Haus eines deutschen Pflanzers auf Samoa

Faktorei einer Hamburger Firma auf Samoa

Ausflug an einen Wasserfall

Königstochter

Enthüllung des Denkmals für die bei den samoanischen Unruhen 1899 gefallenen amerikanischen und englischen Offiziere und Mannschaften durch Gouverneur Dr. Solf (am 29. Juli 1900)

Samoa-Mädchen tanzen zur Feier des Geburtstages von Wilhelm II. am 27. Januar 1901 vor dem Gouverneur von Deutsch-Samoa, Dr. Solf

Kiautschou

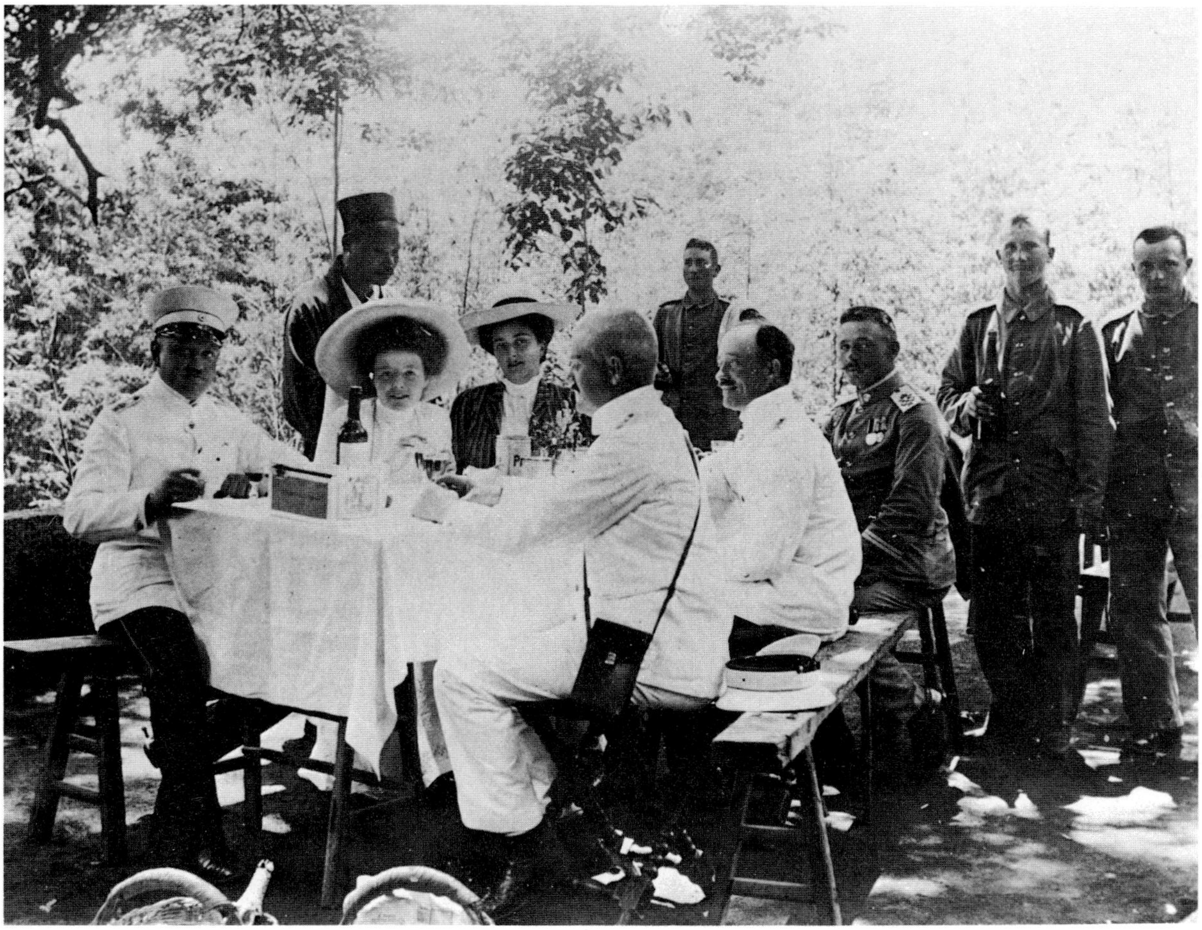

Offiziere mit Damen, Burschen
und chinesischem Diener

Gruppenaufnahme vor dem Rathaus von Chi-mo, einem Erholungsort für die deutsche Kolonie, in der Nähe Tsingtaus gelegen.
Der Bürgermeister (Shang-tai) in der Mitte von deutschen Offizieren und Landsleuten (um 1905)

訪民情求正士

Prinz Heinrich mit der Bordkapelle an Bord
eines Kriegsschiffes vor Kiautschou

Deutsche Offiziere in Tsingtau

Pferderennen in Tsingtau

Enthüllung des Iltis-Denkmals in Shanghai

Prinz Heinrich wird von chinesischen
Würdenträgern begrüßt

Deutsche Offiziere in der Schantung-Eisenbahn

Deutsche Seeoffiziere im deutschen Pachtgebiet Kiautschou (1897)

Chinesenviertel

Gouverneurspalast in Tsingtau

Tsingtau

Deutsche Marinesoldaten

Marinesoldaten vor einem Tempel

Links: Marine-Infanterie während eines Ausflugs
Rechts: Der größte und der kleinste Unteroffizier
in Kiautschou

Zenübung
Zwei wachhabende, alte Chinesen beim Tee

Keine Rosen ohne Dornen!
Freudenmädchen zur ärztlichen Untersuchung
im Lazarett in Tsingtau

Straße in Kiautschou

Kuli mit Einradwagen in Tsingtau

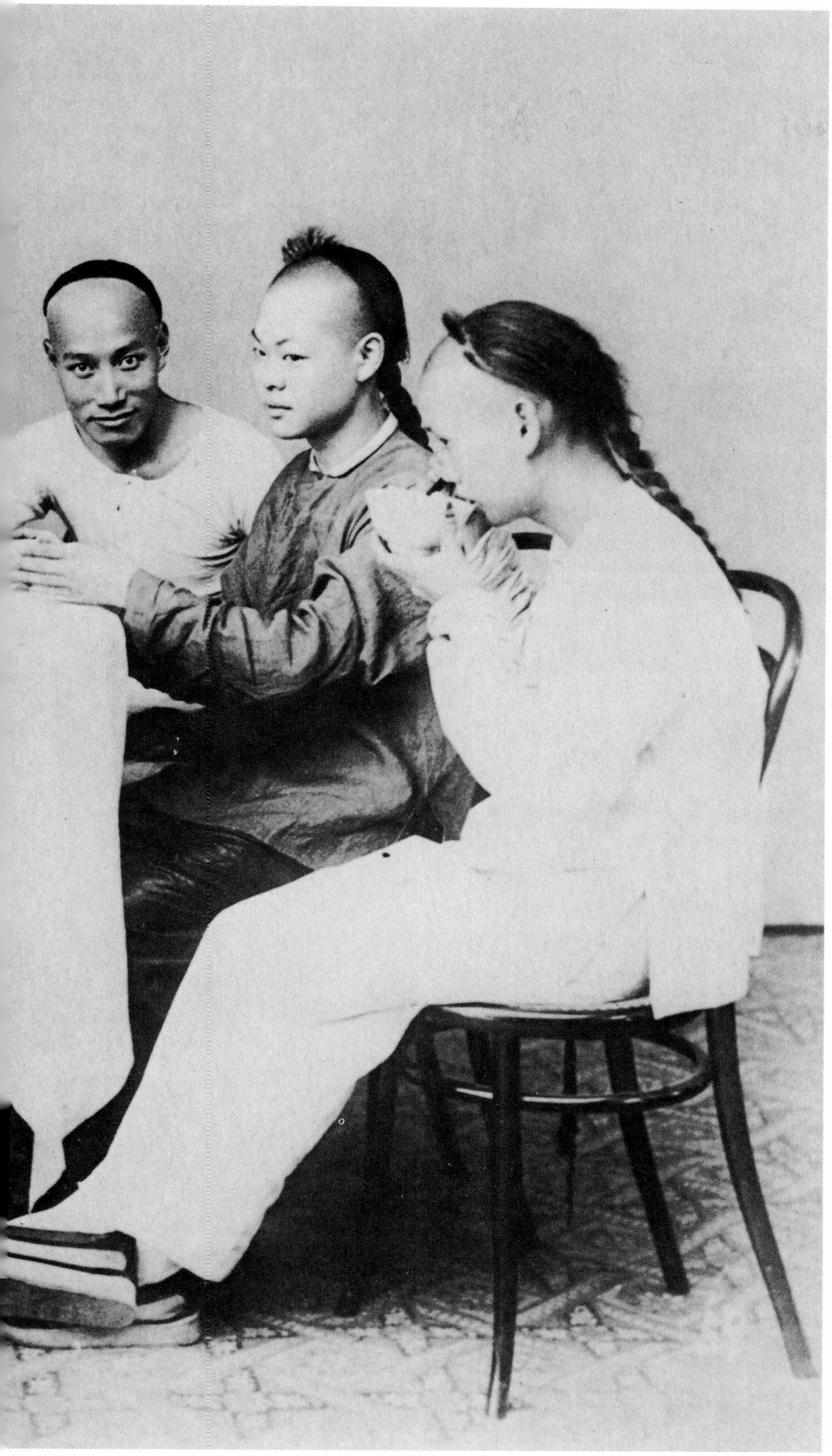

Chinesen beim Knobeln

Prediger-Seminar

Marine-Infanterie Signaltrupp III SB.

Abschneiden der Zöpfe

Deutsche Marinesoldaten mit gefangenen Banditen

Informationen und Karten

Deutsch-Ostafrika

Deutsch-Ostafrika war mit 995 000 qkm und ungefähr 8 Millionen Einwohnern die größte und bevölkerungsreichste deutsche Kolonie.
Der größte Teil des Gebiets besteht aus einem Hochland, das sich aus Gneisen, Graniten und Schiefern zusammensetzt und im Binnenland eine Höhe von 1000 m erreicht.
In nordsüdlicher Richtung zieht sich der ostafrikanische Grabenbruch entlang, an dessen Rändern, besonders im Norden, sich steile Vulkane bis zu einer Höhe von 6010 m (Kilimandscharo) aufgipfeln.
Das Klima ist tropisch und durch den Wechsel von Regen- und Trockenzeit bestimmt.
Den größten Teil des Landes nehmen Steppe und Savannen ein.
Die Mehrheit der Bevölkerung stellt das Bantu-Volk, so die Suaheli, deren Sprache, das Kisuaheli, die Verkehrssprache des Landes wurde. Hamitischer Abkunft sind die Massai, Watussi und Wahuma. Außerdem lebten Araber (1913: 4000), Inder (8800) und 5536 Weiße in Ostafrika.
Bagamojo, in der Nähe Daressalams gelegen, war schon Mitte des 19. Jahrhunderts Ausgangspunkt zahlreicher Expeditionen. Livingstone, Stanley und Hermann Wissmann zogen von hier in das Landesinnere. Deutsche Kaufleute spielten um 1850 im Handel auf Sansibar – einer Insel vor der ostafrikanischen Küste – eine bedeutende Rolle. Das Sultanat Sansibar war bis in die Mitte des 19. Jahrhunderts der wichtigste »Handelsplatz« des arabischen Sklavenhandels.
Im Landesinneren des späteren Schutzgebietes waren seit der Jahrhundertmitte deutsche Missionare tätig. Zwei von ihnen, Krapf und Rebmann, entdeckten 1848 die Schneegipfel des Kilimandscharo.
Im Jahr 1884 »schloß« Carl Peters mit Häuptlingen Verträge über die Gebiete Usegguha, Ukami, Usagara und Nguru ab. Für diese Gebiete wurde auf Weisung Bismarcks im Februar 1885 der »kaiserliche Schutzbrief« ausgestellt. Um diese Regionen wirtschaftlich auszubeuten, hatte Carl Peters die *Deutsch-Ostafrikanische Gesellschaft* gegründet. Als die Gesellschaft damit begann, Stationen im Lande anzulegen, um so ihre wirtschaftlichen und politischen Ansprüche durchzusetzen, kam es 1888 zu einem Aufstand, den der Araber Buschiri anführte. Mit Hilfe deutscher Marinesoldaten wurde der Aufstand unter dem Kommando von Hermann Wissmann niedergeschlagen.
Im »Sansibarvertrag« von 1890 wurden die Grenzen von Deutsch-Ostafrika mit England ausgehandelt. Die Ansprüche Deutschlands auf das Wituland Uganda und auf die Insel Sansibar wurden zugunsten Englands aufgegeben, wogegen Deutschland die englische Insel Helgoland erhielt.
Im gleichen Jahr wurde das Gebiet der *Ostafrikanischen Gesellschaft* in den Status einer Kolonie erhoben; eine deutsche Verwaltung, an deren Spitze ein Gouverneur stand, übernahm die Besitzrechte von der *Deutsch-Ostafrikanischen Gesellschaft*, die als Entgelt 600 000 Mark, zahlbar in 45 Jahresraten, vom Reich erhielt.
In der Folgezeit kam es mit dem Vordringen der deutschen Herrschaft immer wieder zu Aufständen, so der Massai, der Wadschagga, Wahehe, Wangoni. Arbeitszwang und Prügelstrafen waren die Hauptursachen für den letzten großen Aufstand, der 1905 im Süden des Landes ausbrach und sich auf ein Gebiet von mehr als 200 000 qkm ausdehnte.
Die Aufständischen kämpften mit dem Schlachtruf Maji-Maji, was soviel wie Wasser (Zauberwasser) heißt. Nach diesem Schlachtruf wurde der Aufstand benannt, der durch die »Schutztruppe« und Marineinfanterie im Jahr 1906 niedergeschlagen wurde. Dörfer wurden verbrannt, Wasserstellen zugeschüttet, Gefangene wurden erschossen oder zu jahrelanger Kettenarbeit verurteilt. Bis Januar 1907 waren an die 100 000 Menschen umgekommen.
Nach dem Maji-Maji-Aufstand kam es nur noch zu örtlichen Erhebungen. Dennoch mußte in Deutsch-Ostafrika eine starke »Schutztruppe« unterhalten werden. 1913 erreichte sie eine Gesamtstärke von 2500 afrikanischen Soldaten (Askaris) und 260 deutschen Offizieren und Unteroffizieren. Darüber hinaus gab es noch eine Polizeitruppe von 2140 Mann mit 65 deutschen Offizieren und Unteroffizieren.
Nach den großen Aufständen wurde die Zwangsarbeit abgeschafft und neben der sogenannten Sammelproduktion der Afrikaner die Plantagenwirtschaft eingeführt. Auf diesen Plantagen arbeiteten ungefähr 70 000 Afrikaner. Die Hauptpro-

dukte waren: Sisal, Kautschuk, Kaffee und Baumwolle. Außerdem wurden Kopra, Häute und Felle, Erdnüsse, Wachs und Elfenbein exportiert.
Die Einfuhr in das Schutzgebiet betrug 1913 53,4 Millionen Mark; die Ausfuhr 35,3 Millionen Mark, wobei die Ausfuhr eine stark steigende Tendenz zeigte. Die *Deutsch-Ostafrikanische Gesellschaft* erzielte nach eigenen Angaben sehr gute Gewinne. Die jährliche Dividende betrug 1906–1908 5 Prozent, 1911 8 Prozent, 1912 und 1913 9 Prozent.
Zur besseren wirtschaftlichen Erschließung des Landes wurde die *Zentralbahn* von Daressalam nach Kigoma am Tanganjikasee gebaut und 1914 in Betrieb genommen. Eine andere Bahnlinie führte von dem Hafen Tanga durch die Plantagengebiete nach Usambara.
Nach dem Kriegsbeginn 1914 wurde die Kolonie von englischen Truppen angegriffen. Es kam zu mehreren Gefechten, in denen die englischen Truppen zunächst zurückgeschlagen wurden. Von 1916 an wurde dann aber die Kolonie allmählich besetzt. Die »Schutztruppe« zog sich in den Süden zurück und konnte sich bis zum Waffenstillstand 1918 unter ihrem Kommandeur Lettow-Vorbeck halten.
Die Verluste an Trägern und Askaris bei den Deutschen in Ostafrika werden auf 100 000–120 000 geschätzt, bei den Alliierten auf 250 000. Darüber hinaus verhungerten viele Menschen während der Kriegszeit.
Der größte Teil Deutsch-Ostafrikas wurde im Vertrag von Versailles England als Mandatsgebiet übergeben. Ein kleiner Teil im Nordwesten, die Sultanate Ruanda und Urundi, wurden belgisches Mandat.

Deutsch-Südwestafrika

Südwestafrika war mit 835 000 qkm die zweitgrößte deutsche Kolonie. Das Gebiet umschließt geologisch den westlichen Teil des großen südafrikanischen Hochbeckens von durchschnittlich 1000 m Höhe und seine westliche Umrandung, die bis über 2600 m ansteigt und in Steilstufen zur Küstenabdachung abfällt.
Das Klima ist subtropisch und sehr regenarm. Die Hauptregenzeit liegt im Süd-Sommer, von Oktober bis März, mit dem Maximum im Spätsommer. Die Regen fallen jedoch so unregelmäßig, daß Dürreperioden mit Überschwemmungen abwechseln.
Infolge der Lufttrockenheit und der Wolkenarmut ist die Wärmeausstrahlung sehr groß. Das hat starke jährliche und tägliche Temperatursprünge zur Folge. Örtlich treten sogar Nachtfröste auf.
Temperaturdurchschnitt im Süden des Landes: Juni 8,2°, Januar 20,9°. Im Norden: Juli 16,1°, November 26,6°.
Das regenarme Klima läßt keine Dauerflüsse zu. Nur nach starken Regenfällen führen die *Riviere* Wasser.
Die Pflanzendecke gliedert sich, den Regenzonen entsprechend, in drei westöstlich aufeinander folgende Zonen: die kahle, pflanzenarme Wüstenzone, die Namib, die weiter im Inneren von einer Halbwüste abgelöst wird, in der sich Oasen mit Kräutern und Blumen finden. Mit zunehmender Regenhöhe macht sie einer Grassteppe Platz, die im nördlichen Teil Dornbusch trägt.
Das Gebiet Südwestafrikas war nur wenig bevölkert. Die im Norden lebenden Ovambos wurden 1913 von der deutschen Kolonialbehörde auf 100 000 Menschen geschätzt. Sie betrieben Hackbau und etwas Viehzucht.
Im mittleren Teil des Schutzgebietes lebten die Hereros und Damaras. Die Zahl der Hereros wurde vor dem großen Aufstand 1904 auf 84 000 geschätzt, die Damaras auf 35 000 Menschen. Die Hereros hatten bis zur Zeit des Aufstandes große Rinderherden; man schätzte insgesamt 200 000 Tiere. Im Gebiet der Kalahari lebten die Buschmänner, ungefähr 8000 Menschen, und im Süden, in dem nach ihnen benannten Land, die Namas, von den Weißen Hottentotten genannt, mit ungefähr 25 000 Menschen.
Die Hereros hatten einen Oberhäuptling, der die verschiedenen Stämme repräsentierte. Der letzte während der deutschen Kolonialzeit war Samuel Maharero, der nach der Niederschlagung des Aufstandes in das englische Mandatsgebiet Betschuanaland flüchtete.
Die Namas waren in mehrere Stämme geteilt, an deren Spitze jeweils ein *Kapitän* stand: die Witbois, die Bondelswarts, die Veldschoendrager, die Rote Nation, die Franzmann- und die Simon Kopper-Namas.
In dem Gebiet um Rehoboth lebten die sogenannten Rehobother-Bastards, Abkömmlinge von Buren und deren Namafrauen. Die Rehobother-

Bastards kamen erst 1860 in das Gebiet. Ihre Anzahl betrug 1913 4200 Menschen.
Seit 1839 waren deutsche Missionare der evangelischen *Rheinischen Mission* in dem südwestafrikanischen Gebiet tätig. Die *Rheinische Mission* schickte auch 1864 die ersten Ansiedler nach Südwest. Es waren Handwerker, die an der Missionsstation von Otjimbingwe angesiedelt wurden. Im Gefolge der Missionare kamen auch schon sehr früh deutsche Händler und Kaufleute in das Land. 1883 »erwarb« der Bremer Kaufmann Adolf Lüderitz von den Namas die Bucht um Angra Pequena und größere Teile der dortigen Küste.
Dieses Gebiet wurde durch ein Telegramm Bismarcks vom 24. April 1884 an den deutschen Konsul in Kapstadt unter deutschen Schutz gestellt. Von diesem Tag an datiert der deutsche Kolonialbesitz, der durch weitere Schutzverträge mit anderen Nama-Völkern und den Hereros ausgeweitet wurde.
Der erste Reichskommissar war Dr. Göring (Vater von Hermann Göring). Reichskommissar Göring konnte sich aber im Lande nicht lange halten. Er wurde 1888 von den Hereros vertrieben, weil Maharero die Schutzverträge wieder aufkündigte. Daraufhin wurde Hauptmann v. François 1889 mit einer kleinen Truppe freiwilliger Soldaten nach Südwest geschickt. François ließ befestigte Stationen im Land anlegen.
1892 überfiel die Schutztruppe die Witboi-Niederlassung bei Hornkranz. Daraus entwickelte sich ein Guerilla-Krieg der Namas unter Hendrik Witboi, der erst 1894 durch Verhandlungen beigelegt werden konnte.
Langsam setzte eine Besiedlung des Landes durch die Deutschen ein, es kamen Handwerker, Missionare, Beamte und Soldaten ins Land. Die Verschuldung der Stämme durch den Tausch von Tand und Branntwein brachte immer mehr Landbesitz in die Hände der Deutschen. Landgesellschaften wie die *Deutsche Kolonialgesellschaft für SWA* und die *Kakao-Land- und Minengesellschaft* wurden gegründet, die im größeren Ausmaß den Afrikanern Land »abhandelten« und an Bergwerksgesellschaften oder Farmer mit hohem Gewinn weiterverkauften.
Am 13. Januar 1904 kam es zu einem allgemeinen Aufstand der Hereros. Die Deutschen wurden von diesem Aufstand völlig überrascht. Es gelang den Hereros, die Deutschen in den wenigen befestigten Plätzen einzuschließen. Aus dem Reich wurden starke Truppenverstärkungen nach Südwest gebracht, und im August 1904 schlugen die deutschen Truppen unter dem Befehl des Generals v. Trotha die Hereros am Waterberg. Das dort versammelte Volk wurde in die Wüste Omaheke getrieben, wo die meisten Hereros verdursteten. Von den ehemals 84 000 Hereros überlebten nur 25 000.
Im September erhoben sich die Namavölker unter der Führung von Morenga, Hendrik Witboi, Cornelius, David Christian, Simon Kopper. In den folgenden zwei Jahren lieferten die Namas den Deutschen einen verlustreichen Guerillakrieg, der erst Ende 1906 durch Verhandlungen beendet wurde. (Auf dem Höhepunkt dieses Krieges standen 16 000 deutsche Soldaten gegen knapp 400 Guerilleros im Land.)
Nach der Niederschlagung der Aufstände wurde den Stämmen das Land abgenommen und an deutsche Siedler zu günstigen Konditionen verkauft. Lebten im Jahr 1901 nur 3640 Weiße im Land, so stieg die Zahl nach den Aufständen im Jahr 1913 auf 14 830 an, zu denen noch 2000 Mann der »Schutztruppe« kamen.
Wirtschaftlich erlebte das Land durch die Diamantenfunde von 1908 einen starken Aufschwung. Außer Diamanten wurde noch Kupfer, Vanadium, Zinn, Gold und Eisen abgebaut und exportiert.
1913 wurden für 43,4 Millionen Mark Güter eingeführt und für 70 Millionen Mark Produkte ausgeführt. Die *Deutsche Kolonialgesellschaft für Südwestafrika* zahlte beispielsweise für das Jahr 1909 ihren Anteilseignern 64 Prozent Dividende. Der Aktienkurs der Anteilscheine der Gesellschaft stieg im Jahr 1909 auf 2000 Prozent.
Zu Beginn des Krieges marschierten 1914 südafrikanische Truppen in das Schutzgebiet ein. Es kam zu einigen Gefechten. Die »Schutztruppe« kapitulierte 1915 in der Nähe von Otavi.
Im Vertrag von Versailles wurde Deutsch-Südwestafrika als Mandatsgebiet der Südafrikanischen Union unterstellt. Die meisten der Deutschen – bis auf die Beamten und Militärs – konnten im Land bleiben.

Kamerun

Kamerun umfaßte – ab 1911 – eine Fläche von 790 000 qkm. Zwischen 1° und 13° nördlicher Breite gelegen, ist Kamerun ein Tropenland.
Das Gebiet ist in drei Großlandschaften gegliedert: das Küstenland, aus dem der vulkanische Kamerunberg aufragt, das ausgedehnte Kameruner Hochland und im Norden die sogenannte Tschadsee-Niederung.
Die Küstenzone ist von einem tropischen Urwald bedeckt, der eine nur schwer passierbare Sperre zum Inland bildet. Der Urwald erstreckt sich zum Teil auch noch in das südliche Hochland. Das Klima ist heiß, die Luftfeuchtigkeit liegt meist über 80%. Die Temperatur des Hochlands schwankt stark; es ist von einer Parksavanne mit Galeriewäldern bedeckt.
Die Tschadsee-Niederung trägt Trockensteppe, die trotz des spärlichen und unregelmäßigen Regenfalls sehr fruchtbar ist.
Kamerun hatte nach der Schätzung deutscher Behörden im Jahr 1913 ungefähr 3,5 Millionen Einwohner.
In dem Gebiet lebten verschiedene afrikanische Völker. Zahlreich waren die Bantustämme: die Duala, Bimbia und Bakwiri, und im Süden die Pangwe und Fang. Zu den Sudanern gehörten die Stämme Baja, Lakka, Musgum und Bamum.
Im Norden lebten die Schoa-Araber und die Haussa, die hamitisch-berbischen Ursprungs sind.
Die Zahl der Weißen, zumeist Deutsche, betrug 1901: 548 und 1913: 1871, davon waren allein 400 Personen im öffentlichen Dienst tätig.
In den 60er und 70er Jahren des 19. Jahrhunderts richteten sich deutsche, englische und französische Handelsinteressen auf die Westküste Afrikas. Bremer und Hamburger Kaufleute hatten Niederlassungen gegründet, und es war der Hamburger Reeder und Kaufmann Woermann (er hatte durch seinen Spirituosenexport das größte Handelsunternehmen an der Westküste aufgebaut), der Bismarck auf die Bedeutung der Biafrabucht hinwies und zugleich die Annexion des Gebietes verlangte.
Der deutsche Afrikaforscher Nachtigal hißte schließlich am 14. Juli 1884 an der Dualamündung des Kamerunflusses die deutsche Flagge, um die Region so vor dem Zugriff der Engländer für Deutschland zu sichern.
Der Widerstand der in diesem Gebiet lebenden Duala gegen den deutschen »Schutz« mußte durch die Entsendung zweier Kriegsschiffe und durch den Einsatz von Marinesoldaten gebrochen werden. In den folgenden Jahren wurde durch militärische Expeditionen das Gebiet der Bakoko, Jaunde, Baue und der Bulu erobert.
Immer wieder aufflackernde Aufstände wurden durch die deutsche »Schutztruppe« niedergeschlagen. Erst im Frühjahr 1901 konnte das letzte Widerstandszentrum der Bulu erobert werden.
Anfang 1899 begann die Eroberung des Fulbestaates Tibati. Die Kämpfe zogen sich bis zum letzten großen Aufstand der Fulbe 1907 hin.
Unter dem Schutz der errichteten Militärstationen und unter Begleitung militärischer Expeditionen drangen deutsche Händler und Agenten in das Landesinnere vor, insbesondere nach Südkamerun.
Drei große Gesellschaften wurden gegründet: 1896 die *Deutsch-Westafrikanische Handelsgesellschaft* mit einem Grundkapital von 750 000 Mark; sie erzielte nach ihrem ersten Geschäftsjahr einen Reingewinn von 1 350 000 Mark. 1898 wurde die *Gesellschaft Süd-Kamerun* (Woermann, Norddeutsche Bank, der Industrielle Esser) gegründet. Der Gesellschaft wurden Eigentumsansprüche auf 82 597 qkm, also ein Fünftel Kameruns, zuerkannt. Ähnliche Konzessionen erhielt die 1899 gegründete *Gesellschaft Nordwest-Kamerun.*
Zunächst wurden die Sammelprodukte der afrikanischen Wirtschaft getauscht. Seit 1906 wurden verstärkt Plantagen angelegt, auf denen Kakao, Palmenkerne, Tabak und Kautschuk angebaut wurden.
Anfang 1912 gab es 52 Plantagen mit 150 europäischen Angestellten und etwa 15 000 afrikanischen Arbeitern. Die Gesamtfläche der Plantagen betrug 115 147 ha.
Um das Hinterland der Kolonie wirtschaftlich zu erschließen, wurden 1906 und 1908 zwei Eisenbahnstrecken gebaut: die Nord- und die Mittellandbahn, die beide vom Hafen Duala aus ins Landesinnere führten.
Die Ausfuhr (Kakao, Kautschuk, Palmenöl, Elfenbein) stieg von 9,9 Millionen Mark im Jahr 1906 auf 29,1 Millionen Mark im Jahr 1913, die Einfuhr von 13,3 Millionen auf 34,6 Millionen Mark im gleichen Zeitraum. (Wobei bei diesen Zahlen die Kameruner

Zollpreise zugrundegelegt wurden. Nach den in Hamburg geltenden Preisen wäre die Einfuhr niedriger und die Ausfuhr höher zu bewerten gewesen.)
Seit 1886 wirkte in Kamerun die protestantische *Baseler Mission*, der sich später andere Missionsgesellschaften, insbesondere die katholische *Pallotinern*, anschlossen. Die meisten Schulen für Afrikaner wurden von den Missionsgesellschaften betrieben.
Die »Schutztruppe« umfaßte 1650 afrikanische Soldaten und 205 weiße Offiziere und Unteroffiziere; die Polizeitruppe nochmals 1600 Mann.
Bei Kriegsbeginn griffen englische und französische Truppen die Kolonie an. Die »Schutztruppe«, die im Lauf des Krieges auf 8000 Mann gebracht worden war, verteidigte das Gebiet bis 1916. Dann traten die Reste der »Schutztruppe« auf das neutrale spanische Gebiet von Muni über und wurden dort interniert.
Die Kolonie wurde im Versailler Vertrag als Mandatsgebiet zwischen England und Frankreich aufgeteilt.

Togo

Togo bedeckte eine Fläche von 87 000 qkm. 1912 betrug die geschätzte Zahl der Einwohner 1 Million. Togo ist landschaftlich dreigeteilt in Küstenebene, Togogebirge und Binnenebene.
Das Land hat ein nordtropisches Klima mit doppelter Regen- und Trockenzeit im Süden, während im Norden nur noch eine Regen- und Trockenperiode auftritt.
Die Temperaturen sind rein tropisch und bewegen sich durchschnittlich um 25/26°. Das Land ist von Savanne bedeckt, die im Süden und entlang der Flüsse als Parksavanne mit reichen Ölpalmbeständen ausgebildet ist. Das Gebiet war dicht von den Ewe- und den Gur-Völkern besiedelt. Sie betrieben intensiven Hackbau und an der Küste Fischfang. Die Völker bildeten keine größere politische Organisation, sondern lebten in kleinen Gemeinschaften unter Dorfhäuptlingen und Oberhäuptlingen. Die Zahl der Weißen, auch hier meist Deutsche, betrug 1901 137; 1913 waren es 372.
Lange vor der politischen Besitzergreifung wirkten im Gebiet des späteren Togo deutsche Kaufleute (seit 1856 die Bremer Firma Vietor) und deutsche Missionare (seit 1859 die *Bremer Mission).*
Auf Drängen der deutschen Handelsfirma Wölber & Blom wurde im Juli 1884 die deutsche Flagge durch den Afrikaforscher Nachtigal gehißt und ein zwanzig Kilometer langer Küstenstreifen unter deutschen »Reichsschutz« gestellt. Dieser Küstenstreifen wurde durch Verhandlungen mit Frankreich, das ebenfalls Gebietsansprüche stellte, auf 50 Kilometer erweitert. In den folgenden Jahren wurde das Gebiet in das Landesinnere auf 550 Kilometer ausgeweitet.
Heinrich Schnee, ehemaliger Gouverneur von Ostafrika, schreibt in seinem Buch *Die deutschen Kolonien* über Togo:
»In den ersten Jahrzehnten nach der Flaggenhissung gingen militärische Besetzung und wissenschaftliche Forschung Hand in Hand.«
Die Kolonie hatte 1913 eine fast ausgeglichene Handelsbilanz, 1912 betrugen die Einfuhren noch 11,4 Millionen und die Ausfuhren 10 Millionen Mark. Die meisten Produkte entstammten der Sammelwirtschaft, Produkte also, die nicht angebaut wurden. Solche Wildprodukte waren Palmenkerne, Palmenöl und Kautschuk. Durch den rücksichtslosen Raubbau nahm die den Kautschuk liefernde Lianensorte rasch ab, und damit auch die Kautschukproduktion. 1906 wurde noch für 1,161 Millionen Mark Kautschuk exportiert, 1913 nur noch für 360 000 Mark. Ähnlich war es mit Elfenbein, das, nachdem nahezu alle Tiere abgeschossen waren, als Export-Produkt ganz verschwand.
Die Plantagenwirtschaft war im Land nicht verbreitet, einmal, weil das Land sehr dicht bevölkert war, zum anderen, weil es kein »Kronland« gab, Land also, das an größere Landgesellschaften hätte vergeben werden können.
Togo galt als die deutsche »Musterkolonie«. Das Schulwesen war – im Vergleich zu den anderen Kolonien – besser entwickelt. Es gab 1914 vier Regierungsschulen und eine Ackerbauschule. Hinzu kamen 200 katholische und 165 evangelische Schulen, mehrere höhere Schulen sowie Lehrerseminare für afrikanische Elementarschullehrer. Straßen waren angelegt worden, von denen einige auch von Autos befahren werden konnten. Zwei Eisenbahnlinien wurden gebaut: die Küstenbahn (1905 eröffnet) und die Hinterlandbahn (1913 fertiggestellt). Mehrere Krankenhäuser und Krankenstationen für Afrikaner waren errichtet worden. Die gefährlichste Seuche in Togo, die Pocken,

wurde durch Schutzimpfungen zurückgedrängt, ebenso die Schlafkrankheit. Aber wie in den anderen deutschen Kolonien waren die Afrikaner rechtlos, gab es die Prügelstrafe und im Wirtschaftsbereich massive Repressalien.
Togo wurde 1914 ohne nennenswerten Widerstand der kleinen deutschen Polizeitruppe (700 Mann) von englischen und französischen Truppen besetzt. Die Kolonie wurde 1919 als Mandatsgebiet zwischen England und Frankreich aufgeteilt.

Samoa

Das deutsche Schutzgebiet Samoa umfaßte die großen Inseln Upolu und Savaii sowie zwei kleinere Inseln, zusammen eine Gesamtfläche von 2500 qkm.
Die Inseln sind vulkanischen Ursprungs und von Vulkanen durchsetzt, die auf Savaii eine Höhe von 1100 m und auf Upolu eine Höhe von 1800 m erreichen.
Samoa hat ein tropisches Seeklima mit Temperaturen zwischen 24 und 26°. Am Strand sind Kokospalmen verbreitet, das Innere der Inseln ist von einem hochgewachsenen Urwald bedeckt.
Im Schutzgebiet lebten 1913 ungefähr 35 000 Samoaner sowie 557 Weiße, davon 329 Deutsche. Der Gesamthandel betrug 1912 10 Millionen Mark, wobei Einfuhr und Ausfuhr über mehrere Jahre sich mit geringen Schwankungen die Waage hielten.
An erster Stelle der Ausfuhr stand die Kopra, die teils aus Plantagen, teils aus der Sammelwirtschaft der Samoaner gewonnen wurde. An zweiter Stelle stand die Kakaoausfuhr.
Deutsche Kaufleute waren schon in der Mitte des 19. Jahrhunderts auf Samoa tätig. So hatte die Hamburger Firma Godeffroy seit 1857 auf Samoa Besitzungen und Kontore. Als die Firma in Zahlungsschwierigkeiten kam, gründete Adolf Hansemann auf Drängen Bismarcks die *Deutsche Seehandels-Gesellschaft*, die die Besitzungen auf Samoa übernahm.
Streitigkeiten verschiedener Parteien der Samoaner um die Königswürde führten dazu, daß der deutsche Konsul Knappe Ende 1888 mit Hilfe deutscher Kriegsschiffe und eines Landungskorps dem Samoaner Tamasese zur Königswürde und Deutschland zu einer Kolonie verhelfen wollte. Es kam zu einem Kampf zwischen den Samoanern und den deutschen Marinesoldaten. Etliche Deutsche wurden getötet, das deutsche Landungskorps wurde zurückgeschlagen.
Nach dieser militärischen Intervention kam es zu Protesten von Seiten der Vereinigten Staaten und Großbritanniens, daraufhin zu einer Konferenz der drei Mächte, deren Ergebnis die sogenannte Samoa-Akte war, in der Samoa unter den »Schutz« Englands, der Vereinigten Staaten und Deutschlands gestellt wurde.
1899 brachen neuerliche Unruhen aus, die sich gegen den von den Amerikanern favorisierten Häuptling Malietoa richteten. Amerikanische und britische Kriegsschiffe bombardierten Apia.
Neuerliche Verhandlungen zwischen den drei Mächten führten zu einer Aufteilung der Inselgruppe unter Deutschland und die Vereinigten Staaten.
Die Vereinigten Staaten erhielten die Insel Tutuila und einige kleinere Inseln.
England verzichtete auf seine Ansprüche, dafür Deutschland auf die Tonga-Inseln.
1900 wurde eine deutsche Kolonialverwaltung unter dem Gouverneur Solf installiert.
Samoa wurde 1919 Neuseeland als Mandatsgebiet unterstellt.

Deutsch-Neuguinea

Das Schutzgebiet Deutsch-Neuguinea bestand aus drei Teilen:
1. Kaiser Wilhelmsland. Das war der nordöstliche Teil der Hauptinsel Neuguinea (180 000 qkm), deren westlicher Teil holländisches, deren südöstlicher Teil englisches Kolonialgebiet war.
2. Der Bismarckarchipel, zu dem die beiden nördlichsten Salomoninseln gehörten (57 000 qkm).
3. Die Inselgebiete der Karolinen-, Palau-, Mariannen- und Marshallinseln (2500 qkm).
Der ehemalig deutsche Teil von Neuguinea ist größtenteils von Gebirgen bedeckt, deren Gipfel mehr als 4000 m aufragen. Das Gebiet hat seiner Äquatorlage entsprechend ein feuchtwarmes Klima. Ein schwer zu durchdringender Regenwald bedeckt das Land, aus dem nur die höheren Gebirgszüge mit Baumsteppen und Matten hervorragen. Die Bevölkerung, die sich teils aus Papuas, teils ans Melanesiern zusammensetzt, wurde 1913

auf ungefähr 600 000 Menschen geschätzt.
Zu dieser Zeit lebten 273 Weiße, zumeist Deutsche, in dem Gebiet.
1880 war von dem Geheimen Kommerzienrat von Hansemann, Leiter der *Disconto Gesellschaft*, die *Deutsche Seehandels-Gesellschaft* zur Verfolgung kolonialer Pläne in der Südsee gegründet worden. Im selben Jahr schlug Hansemann Bismarck die Annexion Neuguineas vor.
1884 wurde der deutsche Südseeforscher Finsch im Auftrag von Hansemann nach Neuguinea entsandt, um Landverträge mit den Häuptlingen abzuschließen. Deutsche Kriegsschiffe hißten dann trotz australischer Proteste die Reichsflagge. In Verhandlungen mit England wurden 1886 die Interessengebiete der beiden Imperialmächte im westlichen Stillen Ozean festgelegt.
Die wichtigsten Exportartikel aus Deutsch-Neuguinea waren: Kopra, Schildpatt, Trepang und Steinnüsse. Der Gesamtausfuhrwert betrug 5 Millionen Mark und wurde nur um geringes von der Einfuhr übertroffen. Der Plantagenbau, insbesondere für die Kokospalme, wurde ausgeweitet. Als Arbeiter holten die deutschen Kolonialherren, da die Inselbewohner ihrer Ansicht nach arbeitsscheu waren, Chinesen und Malaien in die Kolonie.
1885 wurde die Reichsflagge auf den Marshallinseln gehißt, ebenso auf den Karolineninseln. Jedoch machte Spanien ältere Ansprüche geltend. Es kam zu Protesten und feindseligen Handlungen gegenüber der deutschen Botschaft in Madrid. Bismarck lenkte ein.
Der Streit zwischen Deutschland und Spanien wurde zum Schiedsspruch vor den Papst gebracht. Der entschied, daß die Oberhoheit über die Inseln an Spanien fallen, Deutschland aber das Recht auf freien Handel haben solle. 1899, nach dem spanisch-amerikanischen Krieg, kaufte Deutschland die Karolinen, Palau und die Marianeninseln von Spanien für die Summe von knapp 17 Millionen Mark.
Auf den Südseeinseln, die in deutschem Besitz waren, lebten ungefähr 50 000 Menschen. Ausfuhrprodukte waren: Phosphat, Kopra, Trepang sowie Fischereiprodukte.
Allein die Insel Nauru führte für 5,16 Millionen Mark Phosphate aus.
Deutsch-Neuguinea wurde 1914 von australischen Truppen besetzt, die Inselgebiete von Japanern. Deutsch-Neuguinea ging als Mandatsgebiet an den Australischen Staatenbund. Die Inselgebiete nördlich des Äquators wurden Japan zugesprochen, mit Ausnahme der phosphatreichen Insel Nauru, die unter britische Verwaltung kam.

Kiautschou

Das Schutzgebiet Kiautschou wurde dem Deutschen Reich von der chinesischen Regierung durch einen Pachtvertrag im Jahr 1898 auf 99 Jahre überlassen.
Zugleich erhielt Deutschland Eisenbahn- und Bergwerksrechte für die Kohlegruben im Hinterland von Tsingtau, der chinesischen Provinz Shantung.
Dieser Pachtvertrag war der chinesischen Regierung aufoktroiert worden, nachdem die Stadt Tsingtau, an einer Bucht gelegen, einige Monate zuvor von der Besatzung eines deutschen Kriegsschiffsgeschwaders unter Admiral Diederichs besetzt worden war.
Die militärische Besetzung wurde als Sühneaktion für den Tod zweier deutscher Missionare deklariert. Die beiden Missionare waren auf der Halbinsel Kiautschou von Mitgliedern eines chinesischen Geheimbundes ermordet worden.
Das Gebiet umfaßte 551 qkm der Kiautschou-Bucht mit der Stadt Tsingtau. In dem Gebiet lebten 1913 ungefähr 190 000 Chinesen und 2000 Europäer. Hinzu kam eine deutsche Garnison von 2300 Mann.
Die Verwaltung des Schutzgebietes unterstand dem Reichsmarineamt. Der Gouverneur war stets ein höherer Marineoffizier.
Tsingtau war vor allem Umschlaghafen für Güter, die aus China ausgeführt bzw. nach China eingeführt wurden. Der gesamte Handelsumsatz des Schutzgebietes betrug 1911/12 178 Millionen Mark.
1914 wurde Kiautschou nach zweimonatiger Belagerung von den Japanern besetzt und von Japan 1922 an China zurückgegeben.

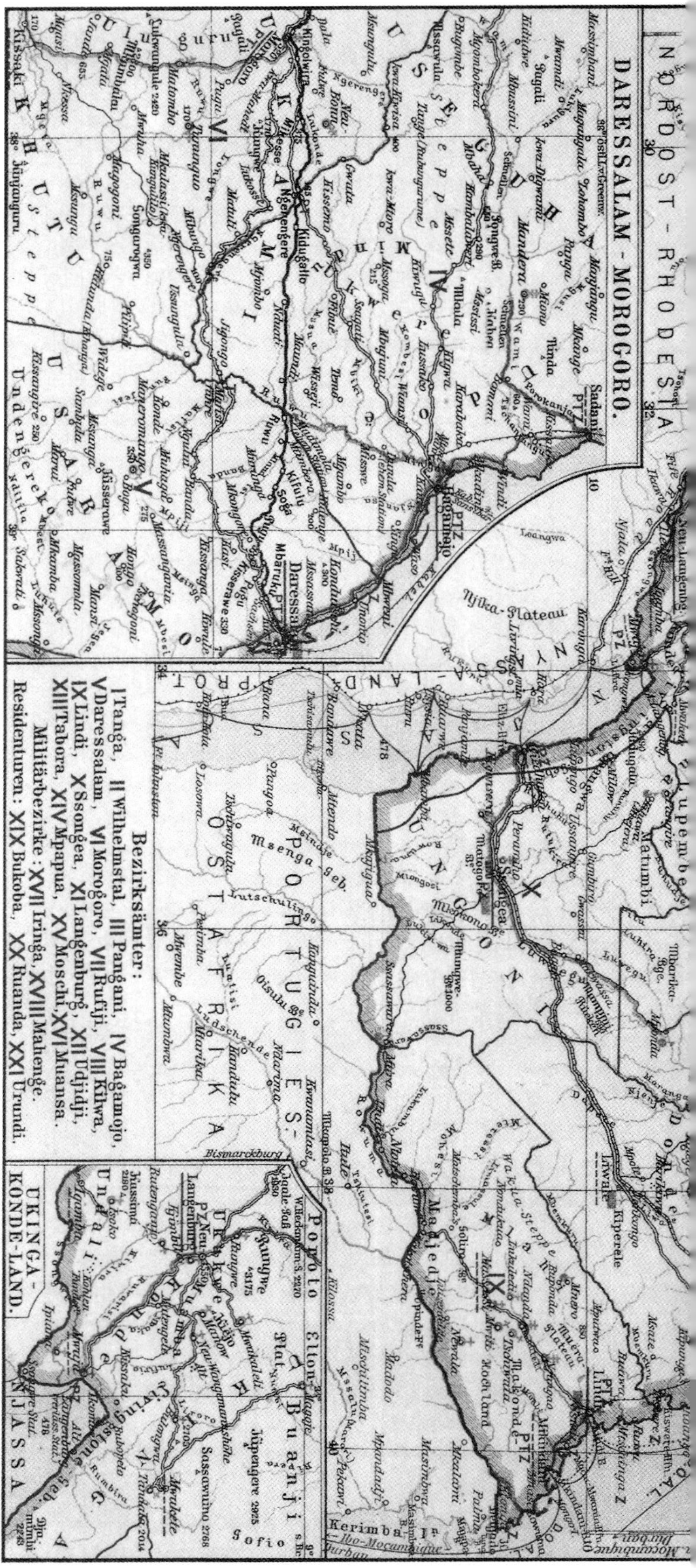

Die Karten wurden den beiden Bänden „Das Deutsche Kolonialreich“ (Leipzig 1909) entnommen.

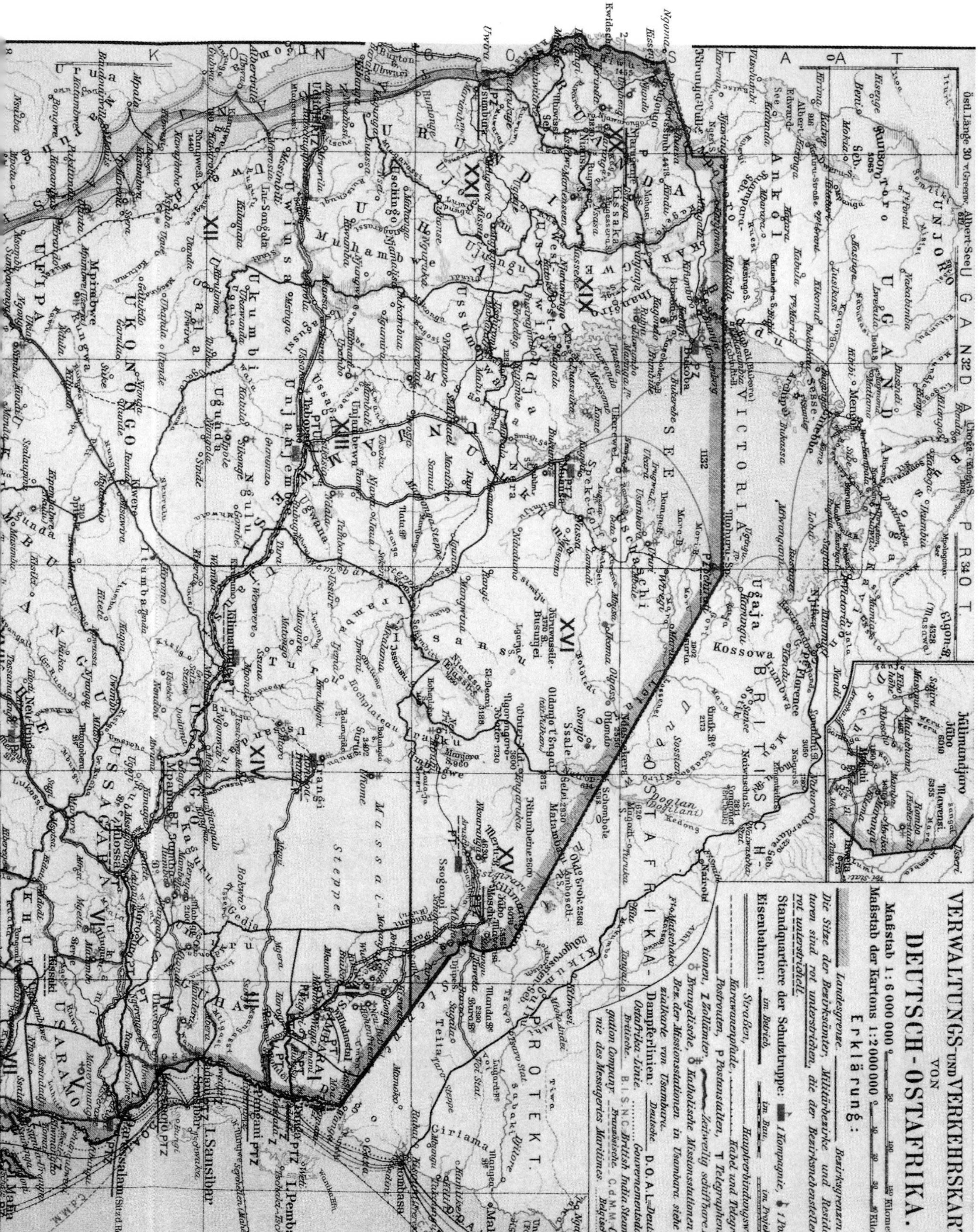
VERWALTUNGS- UND VERKEHRSKARTE VON DEUTSCH-OSTAFRIKA.
Maßstab 1:6 000 000.
Maßstab der Kartons 1:2 000 000.
Erklärung:
Landesgrenze. Bezirksgrenzen.
Die Sitze der Bezirksämter, Militärbezirke und Residenturen sind rot unterstrichen, die der Bezirksnebenstellen rot unterstrichelt.
Standquartiere der Schutztruppe: 1 Kompagnie. 1 Posten.
Eisenbahnen: im Betrieb, im Bau, im Projekt.
Straßen, Hauptverbindungswege, Karawanenpfade, Kabel und Telegraph.
Postorte, P Postanstalten, T Telegraphenstationen, Z Zollämter, zeitweilig schiffbare Flüsse.
Evangelische, Katholische Missionsstationen.
Bez. der Missionsstationen in Usambara siehe Spezialkarte von Usambara.
Dampferlinien: Deutsche D.O.A.L.=Deutsche Ostafrika-Linie. Gouvernementsdampfer.
Britische B.I.S.N.C. British India Steam Navigation Company. Französische C.d.M.M. Compagnie des Messageries Maritimes. Belgische.
UGANDA PROTEKTORAT
VICTORIA SEE
BRITISCH-OSTAFRIKA
DEUTSCH-OSTAFRIKA
Kilimandjaro

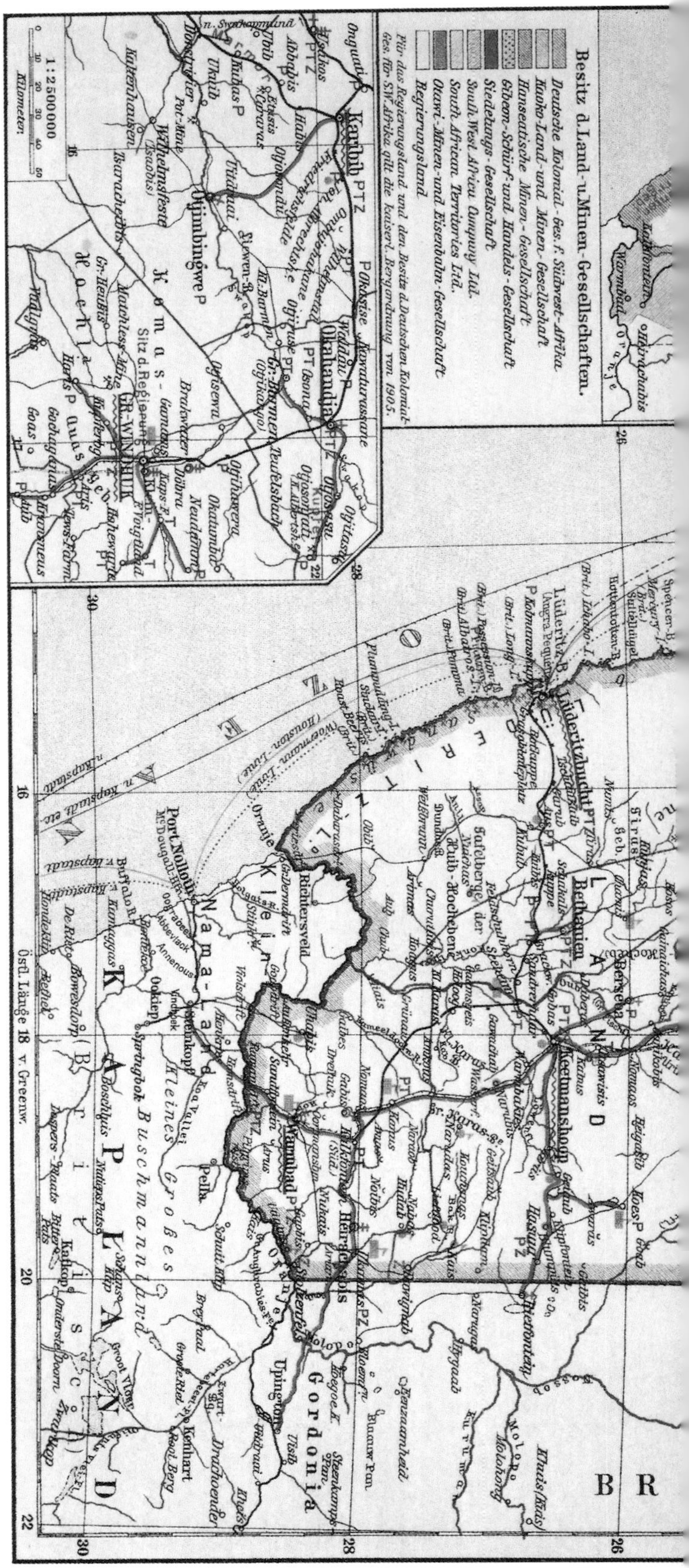
Besitz d.Land-u.Minen-Gesellschaften.
Deutsche Kolonial-Ges. f. Südwest-Afrika
Kaoko-Land- und Minen-Gesellschaft
Hanseatische Minen-Gesellschaft
Gibeon-Schürf- und Handels-Gesellschaft
Siedelungs-Gesellschaft
South West Africa Company Ltd.
South African Territories Ltd.
Otavi-Minen- und Eisenbahn-Gesellschaft
Regierungsland
1:2500000
Kilometer
Karibib
Okahandja
Windhuk
Lüderitzbucht
Bethanien
Keetmanshoop
Port Nolloth
Upington
Gordonia
Östl. Länge 18 v. Greenw.

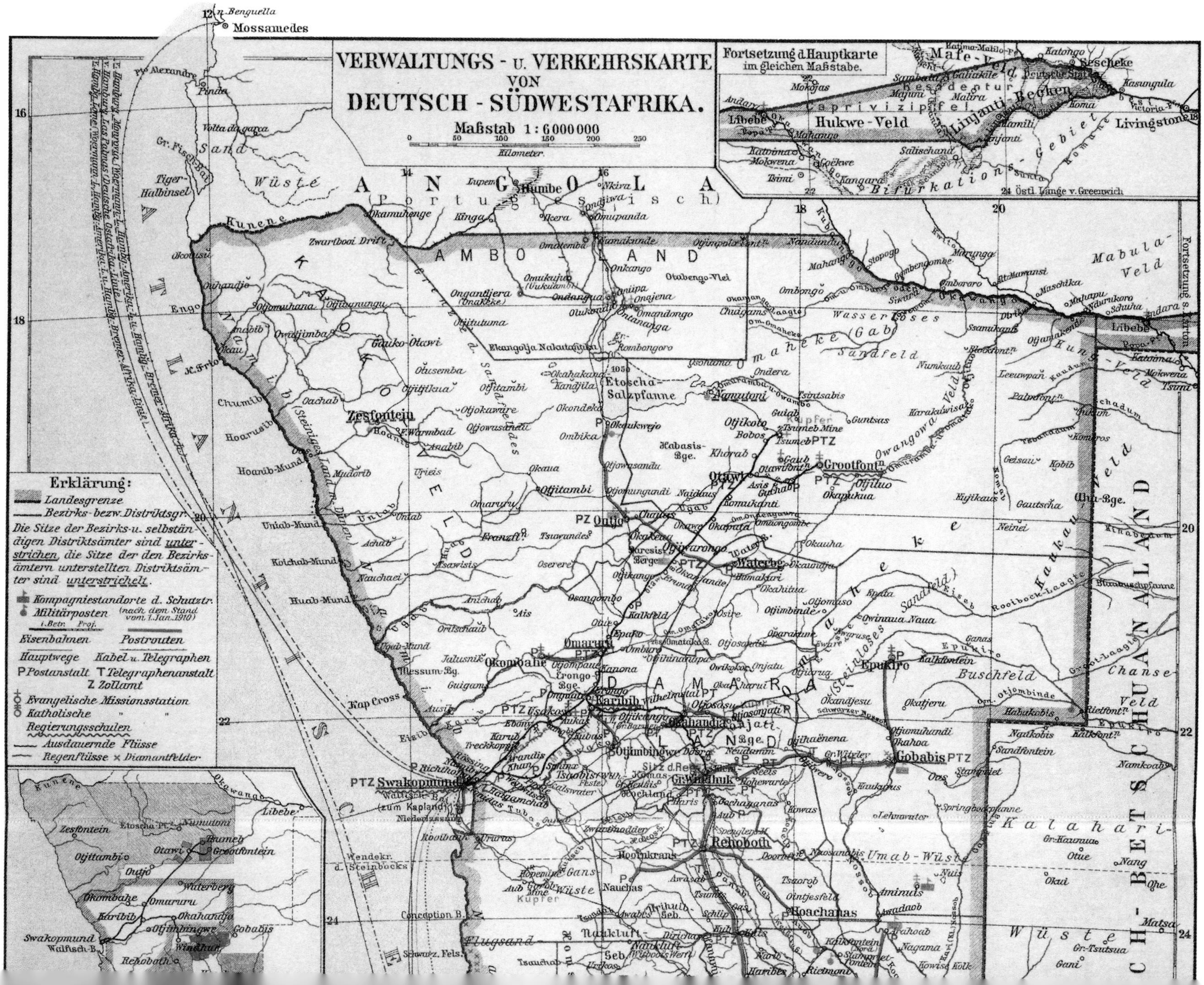
VERWALTUNGS - u. VERKEHRSKARTE
VON
DEUTSCH - SÜDWESTAFRIKA.
Maßstab 1 : 6 000 000
Kilometer.
Fortsetzung d. Hauptkarte
im gleichen Maßstabe.
Erklärung:
Landesgrenze
Bezirks- bezw. Distriktsgr.
Die Sitze der Bezirks- u. selbständigen Distriktsämter sind unterstrichen, die Sitze der den Bezirksämtern unterstellten Distriktsämter sind unterstrichelt.
Kompagniestandorte d. Schutztr.
Militärposten (nach dem Stand vom 1. Jan. 1910)
Eisenbahnen
Postrouten
Hauptwege
Kabel u. Telegraphen
P Postanstalt
T Telegraphenanstalt
Z Zollamt
Evangelische Missionsstation
Katholische
Regierungsschulen
Ausdauernde Flüsse
Regenflüsse × Diamantfelder
ANGOLA
AMBO - LAND
DAMARA LAND
Swakopmund
Windhuk
Rehoboth
Gobabis
Grootfontein
Mossamedes
Livingstone
BETSCHUANALAND

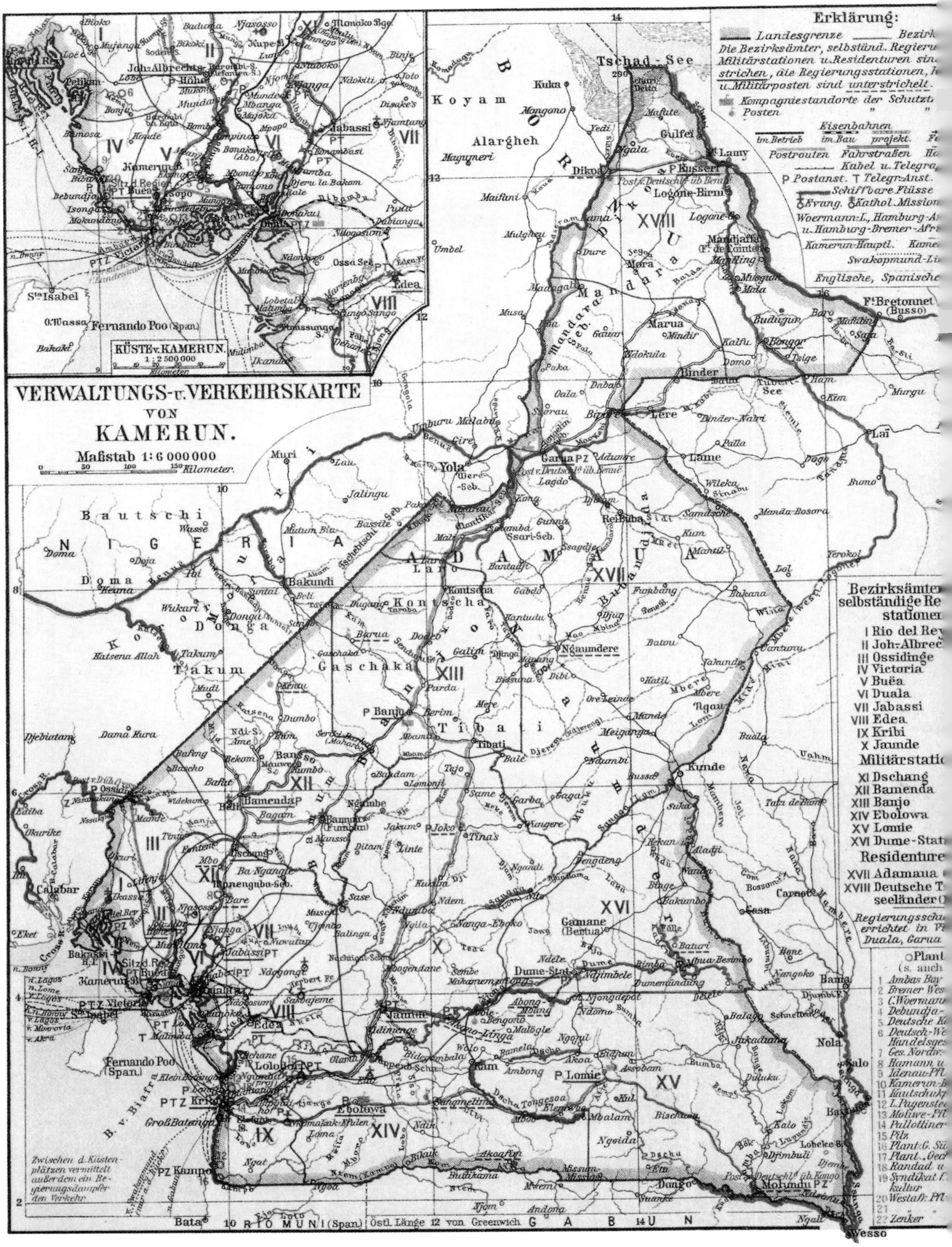
VERWALTUNGS- u. VERKEHRSKARTE
VON
KAMERUN.
Maßstab 1: 6 000 000
0 50 100 150 Kilometer.
KÜSTE v. KAMERUN.
1: 2 500 000
Erklärung:
Landesgrenze
Eisenbahnen
im Betrieb
im Bau
projekt.
Postrouten
Fahrstraßen
Kabel u. Telegra
P Postanst.
T Telegr.-Anst.
Schiffbare Flüsse
Kompagniestandorte der Schutzt
Posten
Englische, Spanische
Bezirksämter
Militärstatio
XI Dschang
XII Bamenda
XIII Banjo
XIV Ebolowa
XV Lomie
Residenture
XVII Adamaua
I Rio del Rey
II Joh.-Albrec
III Ossidinge
IV Victoria
V Buëa
VI Duala
VII Jabassi
VIII Edea
IX Kribi
X Jaunde
Tschad-See
BORNU
NIGERIA
ADAMAUA
Kamerun
Fernando Poo (Span.)
RIO MUNI (Span.)
Östl. Länge 12 von Greenwich
GABUN
Jaunde
Ngaundere
Garua
Yola
Bamenda
Dschang
Banjo
Edea
Kribi
Ebolowa
Lomie
Duala
Victoria
Buëa
Calabar
Tibati
Kunde
Molundu
Kusseri
Kuka
Bata

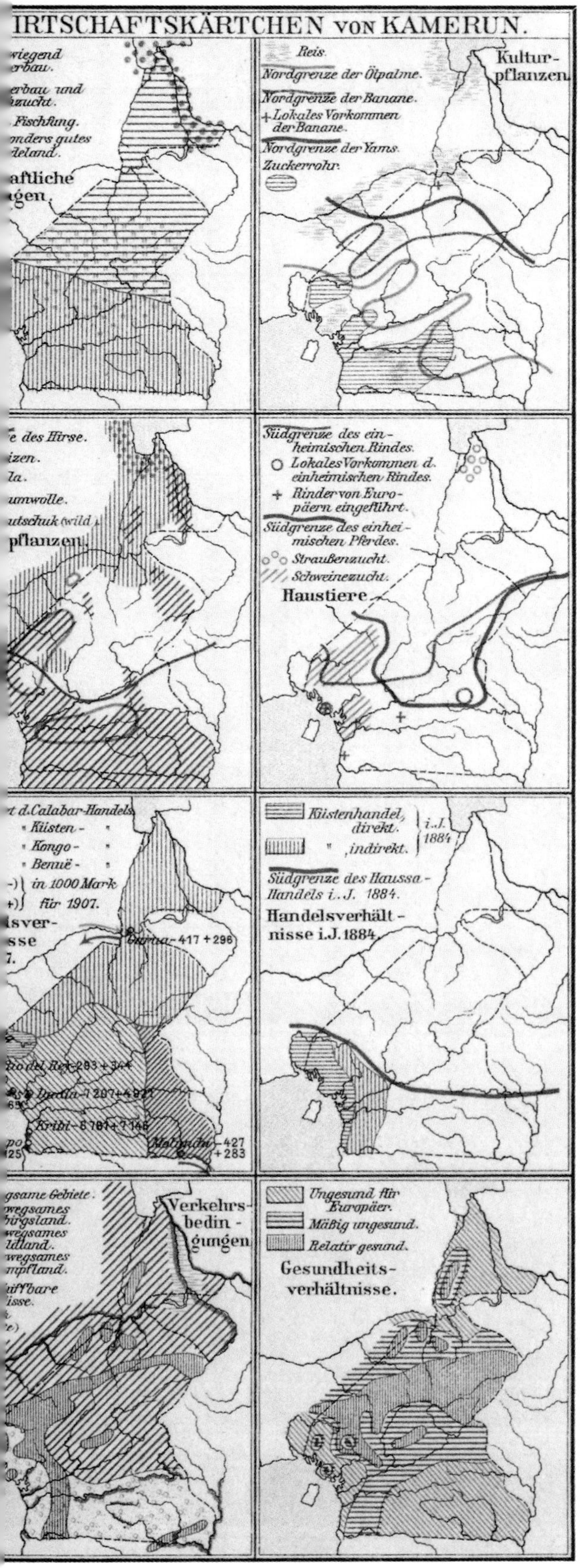

IRTSCHAFTSKÄRTCHEN von KAMERUN.
Reis.
Nordgrenze der Ölpalme.
Nordgrenze der Banane.
Lokales Vorkommen der Banane.
Nordgrenze der Yams.
Zuckerrohr.
Kultur-pflanzen.
pflanzen.
Südgrenze des einheimischen Rindes.
Lokales Vorkommen d. einheimischen Rindes.
Rinder von Europäern eingeführt.
Südgrenze des einheimischen Pferdes.
Straußenzucht.
Schweinezucht.
Haustiere.
Küstenhandel, direkt.
" , indirekt.
i. J. 1884
Südgrenze des Haussa-Handels i. J. 1884.
Handelsverhältnisse i. J. 1884.
in 1000 Mark für 1907.
417 + 296
Kribi - 6 781 + 7 146
427 + 283
Verkehrsbedingungen
Ungesund für Europäer.
Mäßig ungesund.
Relativ gesund.
Gesundheitsverhältnisse.

VERWALTUNGS- u. VERKEHRSKARTE VON TOGO.
Maßstab 1:2 500 000
Kilometer
Landesgrenze. Bezirksgrenzen.
Die Sitze der Bezirksämter bezw. Bezirksleitungen sind unterstrichen, die Sitze der Verwaltungsnebenstellen sind unterstrichelt.
im Betrieb im Bau
Eisenbahnen. Postrouten.
Fahrstraßen. Hauptwege.
Kabel u. Telegraphen.
P Postanstalt. T Telegr.-Anst.
Z Zollamt.
Schiffbare Flüsse.
Evangel. Missionsstationen.
Kathol.
Woermann-L., Hamb.-Amerika-Linie u. Hamburg-Bremer Afrika-L. betreiben gemeinsam:
Togo-Linie, Kamerun Haupt-L., Kamerun-L.II, Swakopmund-L., Lüderitzbucht-Linie.
Englische Dampfer-L.
Französische
Regierungsschulen sind errichtet in Lome u. Sebe.
Plantagen: (siehe auch Karton)
1 Tafië, 2 Njangbo } Agu-Pflanzungs-Gesellschaft.
3 Kpeme, 4 Bagida } Pflanzungsgesellschaft Kpeme.
5 Lome. Bes. O. Wollbrecht.
6 Gridji. „ Kathol. Mission.
7 Nuatjä: Ackerbauschule des Gouvernements.
KÜSTE v. TOGO.
1 : 1 000 000
2 Östl. L. v. Greenwich

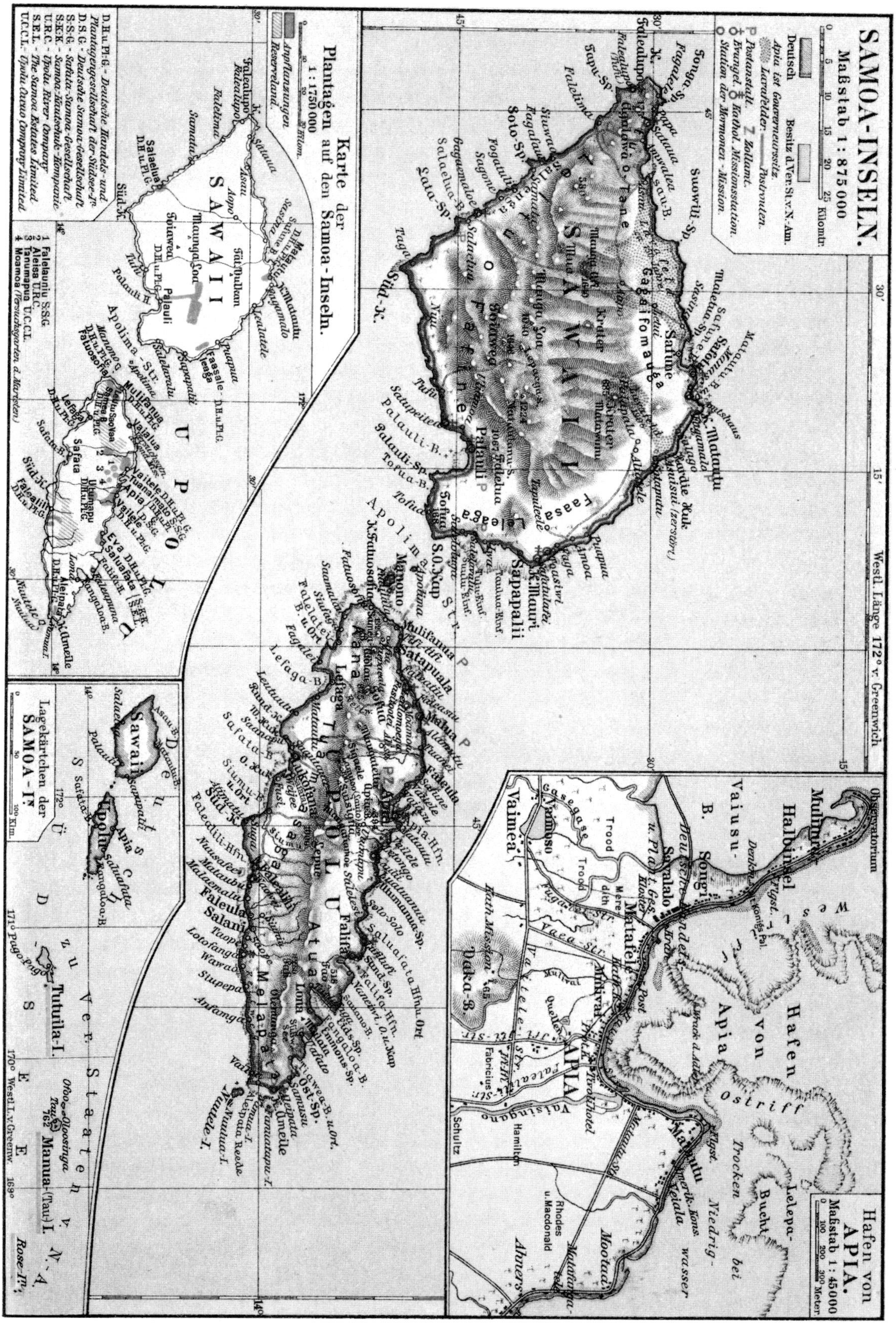
SAMOA-INSELN.
Maßstab 1: 875 000
Deutsch
Besitz d. Ver. St. v. N.-Am.
Apia ist Gouvernementssitz.
Postanstalt
Zollamt
Evangel.
Kathol. Missionsstation.
Station der Mormonen-Mission.
Westl. Länge 172° v. Greenwich
SAWAII
UPOLU
Apolima-Str.
Apolima
Manono
Hafen von APIA.
Maßstab 1: 45000
Mulinuu Halbinsel
Hafen von Apia
Vaiusu-B.
APIA
Karte der Plantagen auf den Samoa-Inseln.
1:1750000
Anpflanzungen
Reserveland
D.H.u.Pl.G. - Deutsche Handels- und Plantagengesellschaft der Südsee-I.
D.S.G. - Deutsche Samoa-Gesellschaft
S.S.G. - Safata-Samoa-Gesellschaft
S.K.K. - Samoa-Kautschuk-Kompanie
U.R.C. - Upolu Rubber Company
S.E.L. - The Samoa Estates Limited
U.C.C.L. - Upolu Cacao Company Limited
Lagekärtchen der SAMOA-I.
Tutuila-I.
Manua-(Tau) I.
Rose-I.

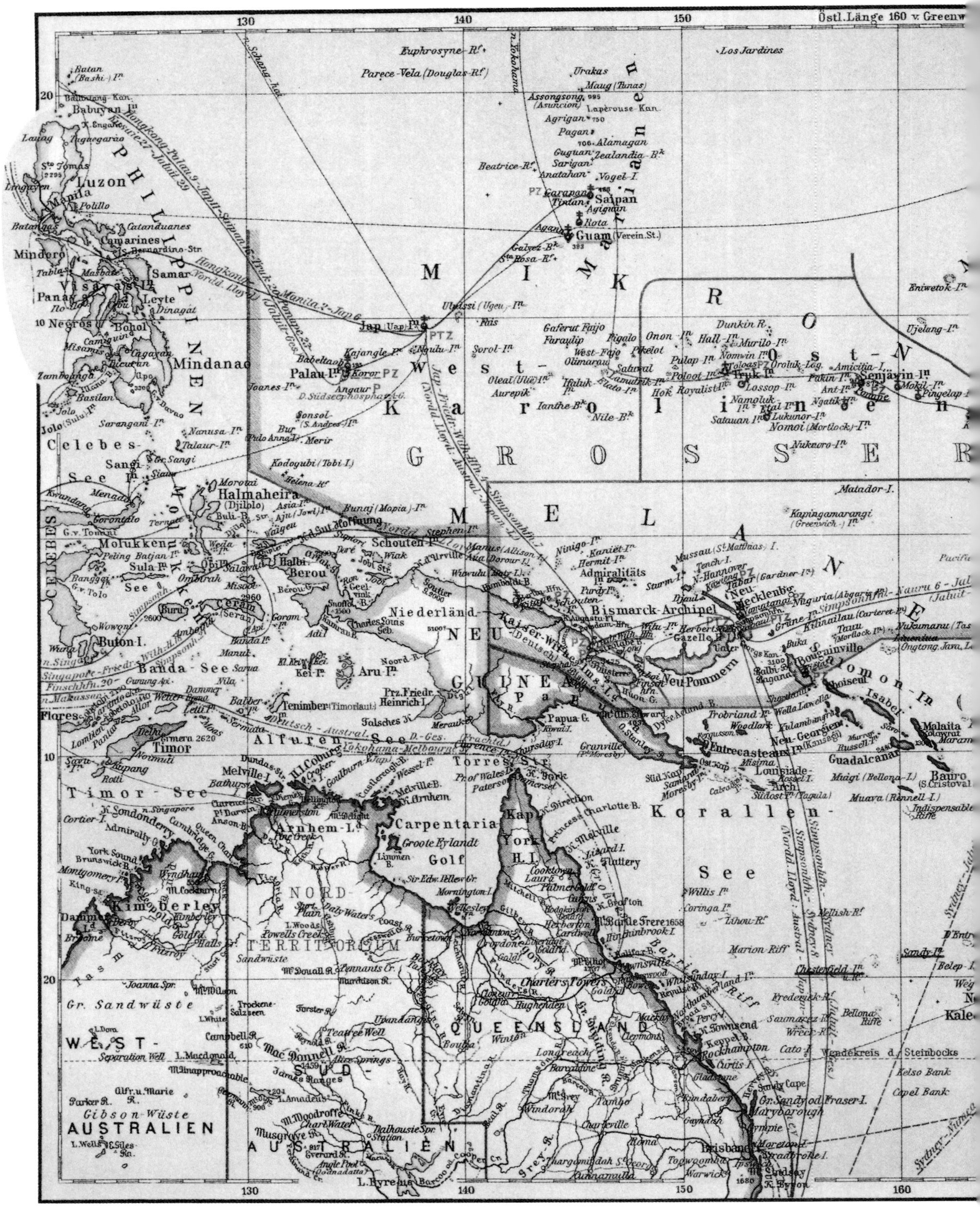
Östl. Länge 160 v. Greenw
130
140
150
160
20
10
Euphrosyne-Rf.
Parece-Vela (Douglas-Rf.)
Los Jardines
Urakas
Maug (Tunas)
Assongsong
(Asuncion)
Lapérouse-Kan.
Agrigan
Pagan
Alamagan
Guguan
Zealandia-Bk.
Sarigan
Anatahan
Beatrice-Rf.
Vogel-I.
Saipan
Tinian
Aguijan
Rota
Guam (Verein. St.)
Galvez-Bk.
Sta. Rosa-Rf.
Batan
(Bashi-) In.
Babuyan In.
Luzon
Manila
Polillo
Sto. Tomas
Lingayen
Catanduanes
Camarines
S. Bernardino-Str.
Mindoro
Samar
Masbate
Leyte
Panay
Dinagat
Negros
Bohol
Mindanao
Zamboanga
Basilan
Jolo (Sulu) In.
PHILIPPINEN
M I K R O N E S I E N
Marianen
Eniwetok-In.
Ujelang-In.
Jap (Uap) In.
Ulussi (Ugeu-) In.
Fais
Gaferut Fajo
Faraulip
Pigalo
Onon-In.
Hall-In.
Murilo-In.
Dunkin R.
Sorol-In.
West-Fajo
Pikelot
Olimarau
Satawal
Pulap-In.
Nomwin In.
Truk In.
Lossop-In.
Senjavin In.
Mokil-In.
Pingelap
Palau In.
Koror
Angaur
Ngoulu-In.
Kajangle-Rf.
Oleai (Ulie) In.
Aurepik
Ifaluk
Lamutrik
Elato
Nile-Bk.
Ianthe-Bk.
Namoluk
Lukunor-In.
Satauan In.
Nomoi (Mortlock)-In.
Nukuoro-In.
West-Karolinen
Ost-Karolinen
Joanes-In.
D. Südseephosphat-G.
Sonsol
(S. Andres-) In.
Bur
Pulo Anna In.
Merir
Kadogubi (Tobi I.)
Helena-Rf.
G R O S S E R
M E L A N E S I E N
Matador-I.
Kapingamarangi
(Greenwich-) In.
Celebes-See
Sangi-In.
Talaur-In.
Nanusa-In.
Sarangani-In.
Morotai
Halmaheira
(Djilolo)
Menado
Gorontalo
Ternate
Molukken
CELEBES
Sula-In.
Peling Batjan-In.
Banggai
Obi
Buru
Ceram
(Seran)
Amboina
Buton-I.
Banda-See
Banda In.
Bunaj (Mapia)-In.
Waigeu
Schouten-In.
Halbi
Berou
Geelvink-B.
Niederländ-
NEU-GUINEA
Kaiser-Wilhelms-Land
Papua
Papua-G.
Manus (Allison-)
Admiralitäts
Ninigo-In.
Hermit-In.
Bismarck-Archipel
Neu-Mecklenbg.
Neu-Pommern
Gazelle H.
Mussau (St. Matthias-) I.
Neu-Hannover
Nauru
Ongtong Java
Bougainville
Buka
Salomon-In.
Choiseul
Isabel
Malaita
Neu-Georgien
Guadalcanar
Bauro
(S. Cristoval)
Rennell-I.
Indispensable Riffe
Trobriand-In.
Woodlark
Entrecasteaux-In.
Louisiade-Arch.
Misima
Sudost In.
Aru-In.
Kei-In.
Tenimber (Timorlaut)
Timor
Flores
Letti
Alfuren-See
Torres-Str.
Thursday-I.
Melville-I.
Bathurst
Timor-See
Arnhem-L.
Palmerston
Carpentaria-Golf
Groote Eylandt
Kap York H.I.
Cooktown
Korallen-See
Willis In.
Coringa In.
Mellish-Rf.
Marion Riff
Chesterfield-In.
Kimberley
Broome
Derby
Wyndham
NORD-TERRITORIUM
Daly Waters
Powells Creek
Tennants Cr.
Burketown
Normanton
Cairns
Townsville
Charters Towers
Cloncurry
Hughenden
Winton
QUEENSLAND
Mackay
Rockhampton
Gladstone
Bundaberg
Maryborough
Gr. Sandy od. Fraser-I.
Wendekreis d. Steinbocks
Longreach
Barcaldine
Charleville
Roma
Toowoomba
Brisbane
Warwick
Windorah
Tambo
Birdsville
Barcoo
Gr. Sandwüste
WEST-
Gibson-Wüste
AUSTRALIEN
Joanna Spr.
Trockene Salzseen
Separation Well
L. Macdonald
Mac Donnell R.
Alice Springs
SÜD-
AUSTRALIEN
Musgrove R.
Charlotte Waters
L. Eyre
Dalhousie Spr.
Great Barrier Riff
Kato I.
Kelso Bank
Capel Bank

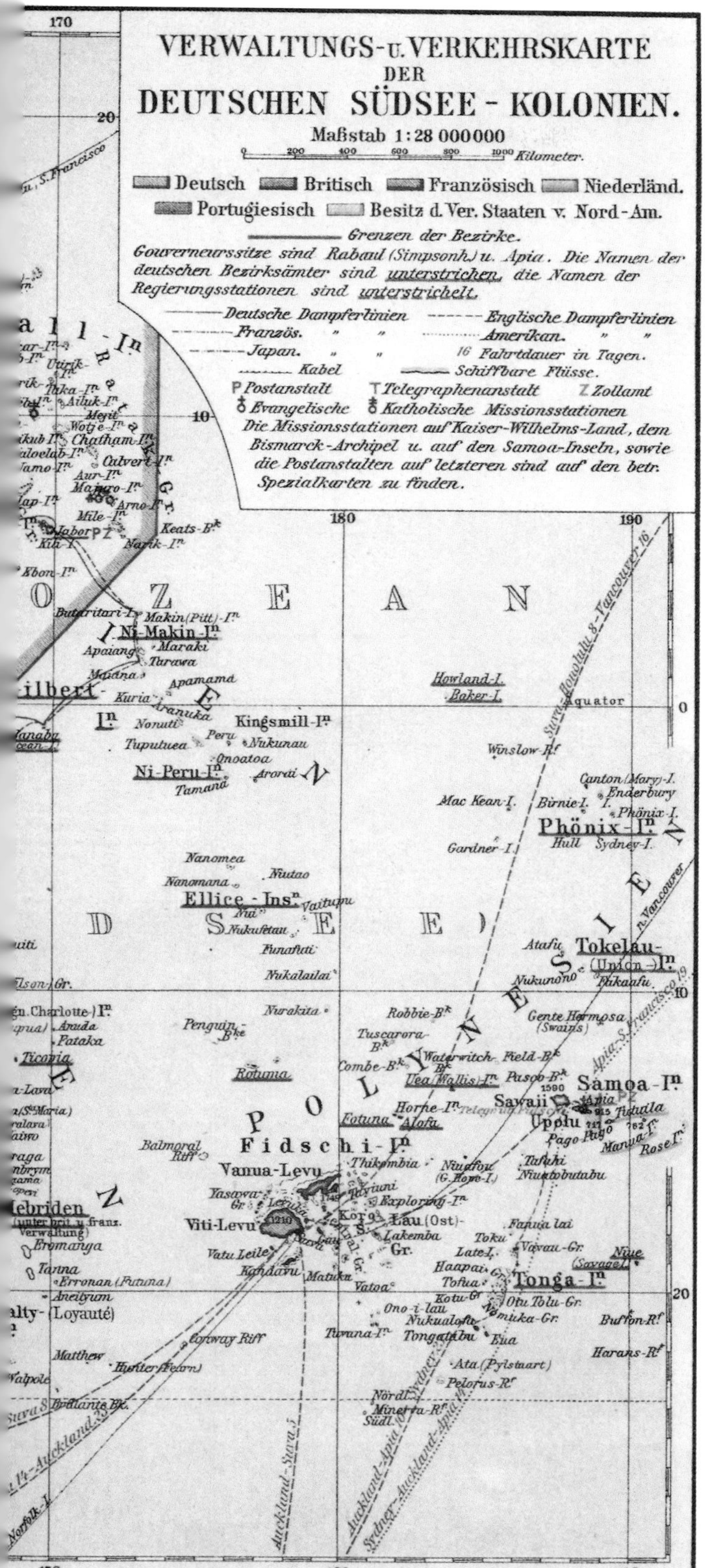
VERWALTUNGS-u. VERKEHRSKARTE
DER
DEUTSCHEN SÜDSEE-KOLONIEN.
Maßstab 1:28 000 000
0 200 400 600 800 1000 Kilometer.
Deutsch
Britisch
Französisch
Niederländ.
Portugiesisch
Besitz d. Ver. Staaten v. Nord-Am.
Grenzen der Bezirke.
Gouverneurssitze sind Rabaul (Simpsonh.) u. Apia. Die Namen der deutschen Bezirksämter sind unterstrichen, die Namen der Regierungsstationen sind unterstrichelt.
Deutsche Dampferlinien
Englische Dampferlinien
Französ. " "
Amerikan. " "
Japan. " "
16 Fahrtdauer in Tagen.
Kabel
Schiffbare Flüsse.
P Postanstalt
T Telegraphenanstalt
Z Zollamt
Evangelische
Katholische Missionsstationen
Die Missionsstationen auf Kaiser-Wilhelms-Land, dem Bismarck-Archipel u. auf den Samoa-Inseln, sowie die Postanstalten auf letzteren sind auf den betr. Spezialkarten zu finden.
O Z E A N
S E E
P O L Y N E S I E N
Gilbert
Kingsmill-In.
Ni-Makin-In.
Ni-Peru-In.
Ellice-Insn.
Phönix-In.
Tokelau- (Union-) In.
Samoa-In.
Sawaii
Upolu
Apia
Pago Pago
Fidschi-In.
Vanua-Levu
Viti-Levu
Tonga-In.
Niue (Savage I.)
Howland-I.
Baker-I.
Äquator
Winslow-Rf.
Canton (Mary)-I.
Enderbury I.
Phönix-I.
Birnie-I.
Mac Kean-I.
Gardner-I.
Hull
Sydney-I.
Rotuma
Futuna
Alofa
Wallis
Nukualofa
Tongatabu
Eua
Ata (Pylstaart)
Pelorus-Rf.
Minerva-R.
Conway Riff
Matthew
Hunter (Fearn)
Walpole
Eromanga
Tanna
Erronan (Futuna)
Aneityum
Loyauté
Neue Hebriden
Keats-Bk.
Makin (Pitt)-In.
Butaritari-I.
Apaiang
Maraki
Tarawa
Maiana
Apamama
Kuria
Aranuka
Nonuti
Tapituea
Peru
Nukunau
Onoatoa
Arorai
Tamana
Nanomea
Niutao
Nanomana
Vaitupu
Nui
Nukufetau
Funafuti
Nukulailai
Nurakita
Atafu
Nukunono
Fakaafu
Gente Hermosa (Swains)
Robbie-Bk.
Tuscarora-Bk.
Combe-Bk.
Waterwitch-Bk.
Field-Bk.
Horne-In.
Penguin-Bke.
Balmoral Riff
Thikombia
Niuafou (G. Hope-I.)
Tafahi
Niuatobutabu
Exploring-In.
Lau (Ost)-Gr.
Lakemba
Vatoa
Ono-i-lau
Toku
Late-I.
Vavau-Gr.
Haapai
Tofua
Kotu-Gr.
Otu Tolu-Gr.
Namuka-Gr.
Turtle-In.
Buffon-Rf.
Harans-Rf.
Kandavu
Matuku
Vatu Leile
Yasawa-Gr.
Rose I.
Manua-I.
Tutuila
Auckland-Sura 5
Auckland-Apia 10
Sydney-Auckland-Apia 11
Sura-Honolulu 8-Vancouver 16
n. Vancouver
Apia-S. Francisco 19
170
180
190
20
10
0

120°
120° 10′
n. Matien
Tschutschiatschai
n. Matien
Suntschiatsun
Likotsch
Hoyungtsch.
Schytschiatsch.
36° 20′
Palitsch.
Tatschiangkotsch.
Tahuang
Tamawan
Tungsungjüen
Wa-tschiatsch.
Kau-Wulitsch.
Hsiantschitsun
Takuho
Siangho
KIAUTSCHOU
Hantschiatschuang
Pagode
Tung-
Hsi-
Tschoutschiatsun
Sunkotsch.
Pokuho
Tapulou (Matou)
Wangtschiatsun
Yingfang
Fa-
Ko-
Tungtschiatschuang
Altes Zollhaus
Hsiauhouwang
Haitschuang
Tschingli
Lokutschuang
36° 10′
Hsiautan
Salz-pfannen
Yangho
Mündung
K I A U T
B U C
Lungtschüen
Lungtschüensuntschia
Lungtschüenschautschia
Landeplatz f. Boote
Schytschia
Ta-Fatschiayüen
Tschangkotschuang
Schykautsch.
Hsischan
Yentan
Hsiautschouschan
Liutschiatschiangtou
Tschenschiatschiangtou
36°
Schawu
Schyhuischan
Tschangtschiawan
Haunantou
LINGSCHANWEI
Tschangtschiamiau
Lingkou
Matschiatan
Schantschien
Tangtau
Sperr-Stein
Takutschiatuan
Heitschien
Tawankou
Möwen-Fels
120°

DEUTSCHES SCHUTZGEBIET
KIAUTSCHOU.
Maßstab 1 : 250000.
0 1 2 4 6 8 10
Kilometer.
Höhen und Tiefen in Metern.
Grenze des Schutzgebiets, in der Kiautschou-Bucht fällt sie mit der Hochwassergrenze zusammen.
tsch.- tschuang = Dorf.
Die roten Kreuze geben die allgemeine Lage der Salzpfannen an, nicht ihre genaue Anzahl.
Tschalientau
i. gleichen Maßst.
Schuilingschan
im Maßstabe der Hauptkarte.
Östliche Länge 120°20' von Greenwich
120°30'
120°40'
36°
GELBES MEER
TSINGTAU
TSCHENGYANG
LIUTING
Wangkotschuang
Tsangkou
Litsun
Lauschan
Tschangkotsch.
Groß-Futau
Maitau
Taikungtau
Hsiaukungtau
Tschutschatau
Tschalientau
Ganz offene Dörfer
Tief-Ebene
Auschanwei
Hsiautau-B.
Lauschan-B.
Taitschingkung-Bucht
Tsangkouer Tiefe
Auguste-Victoria-B.
Iltis-B.
Fouschanso-Bucht
Stein Insel
Der Tupfen
Südl-Flach
Haihsi-Riff
Haihsi-Flach
Taikungtau-Riff
Nord-Flach
Großer Hafen
Tapautau
Hsiautau
Totsytau
Süd-Riff
Datumfels
Yatau
Felsen-I.
Klein-Futau

Ausgewählte Bibliographie

Austen, Ralph A., Northwest Tanzania under German and British Rule. Coloniale Policy and Tribal Politics 1889–1939. New Haven/London 1968.

Bald, Detlef, Deutsch-Ostafrika 1900–1914. Eine Studie über Verwaltung. Interessengruppen und wirtschaftliche Erschließung. München 1970.

Bley, Helmut, Kolonialherrschaft und Sozialstruktur in Deutsch-Südwestafrika 1894–1914, Hamburg 1968.

Büttner, Kurt, Die Anfänge der deutschen Kolonialpolitik in Ostafrika. Eine kritische Untersuchung an Hand unveröffentlichter Quellen. Berlin 1959.

Das deutsche Kolonialreich, Hrsg. Professor Dr. Hans Meyer. Leipzig und Wien 1910.

Decharme, Pierre, Compagnies et sociétés coloniales allemandes. Paris 1903.

Deutsche Kolonialgesetzgebung. Textausgabe von Philip Zorn. 2. Aufl. bearb. v. Franz Josef Sassen, Berlin 1913.

Die deutsche Kolonialliteratur. Hrsg. auf Veranlassung der deutschen Kolonialgesellschaft, zusammengest. von Maximilian Brose. Für 1897–1914 jährlich ein Heft, Berlin 1898–1916.

Die deutschen Schutzgebiete in Afrika und der Südsee. Amtliche Jahresberichte, hrsg. v. Reichskolonialamt. Bd. 1 (1909/10) – 3 (1911/12), Berlin 1911 bis 1913.

Diouritch, Georges, L'Expansion des Banques allemandes à l'Étranger, Paris/Berlin 1909.

Drechsler, Horst, Südwestafrika unter deutscher Kolonialherrschaft. Der Kampf der Herero und Nama gegen den deutschen Imperialismus (1884 bis 1915). Berlin 1966. (Mit ausf. Literaturverzeichnis S. 295–321.)

Drechsler, Horst, Jacob Morenga: A new kind of South-West African leader. In: Afrika-Studien, hrsg. v. W. Markov, Leipzig 1967.

François, Curt v., Deutsch-Südwestafrika. Geschichte der Kolonisation bis zum Ausbruch des Krieges mit Witboi, April 1893, Berlin 1899.

Gifford, Prosser und Louis, William Roger (Hrsg.), Britain and Germany in Africa. Imperial Rivalry and Colonial Rule, New Haven/London 1967.

Hallgarten, Georg W. F., Imperialismus vor 1914. 2. Auflage. Bd. 1, München 1963.

Hausen, Karin, Deutsche Kolonialherrschaft in Afrika. Wirtschaftsinteressen und Kolonialverwaltung in Kamerun vor 1914. Zürich/Freiburg 1970.

Kimambo, I. N., und *Temu, A. J.* (Hrsg.), A Historie of Tanzania. Nairobi 1969.

Kuczynski, Jürgen, Studien zur Geschichte des deutschen Imperialismus Bd. II. Propagandaorganisationen des Monopolkapitals, Berlin 1950.

Kuczynski, Robert René, The Cameroons and Togoland. A demographic Study, London 1939.

Lemke, Michael, Die Funktion der katholischen Missionskongregationen in den ehemaligen deutschen Kolonien Afrikas (1884–1918) im System des deutschen Kolonialismus. Phil. Diss. PH Potsdam 1971. (Ms.)

Leutwein, Theodor, Elf Jahre Gouverneur in Deutsch-Südwestafrika, Berlin 1906. Die Kämpfe der deutschen Truppen in Südwestafrika auf Grund amtlichen Materials bearbeitet von der Kriegsgeschichtlichen Abteilung I des Großen Generalstabes, 2 Bde., Berlin 1906/07.

Loth, Heinrich, Die Gründung von Deutsch-Ostafrika und die christliche Mission. In: Wiss. Ztsch. d. Karl-Marx-Universität Leipzig. Gesellschafts- u. sprachwiss. Reihe, 8. Jg. 1958/59. H. 2, S. 339 bis 348.

Loth, Heinrich, Zu den Anfängen des Kampfes der Arbeiter Südwestafrikas gegen den deutschen Imperialismus. Unveröffentlichte Dokumente. In: WZ Leipzig, Gesellsch.- und sprachwiss. Reihe Jg. 10 (1961), Heft 3, S. 351–356.

Loth, Heinrich, Die christliche Mission in Südwestafrika. Zur destruktiven Rolle der Rheinischen Missionsgesellschaft beim Prozeß der Staatsbildung in Südwestafrika (1842–1893), Berlin 1963.

Loth, Heinrich, Griff nach Ostafrika. Politik des deutschen Imperialismus und antikolonialer Kampf. Legende und Wirklichkeit. Berlin 1968.

Mandeng, Patrice, Auswirkungen der deutschen Kolonialherrschaft in Kamerun. Die Arbeitskräftebeschaffung in den Südbezirken Kameruns während der deutschen Kolonialherrschaft 1884–1914, Hamburg 1973.

Mayer, Otto, Die Entwicklung der Handelsbeziehungen Deutschlands zu seinen Kolonien. Staatswiss. Diss., Tübingen 1913.

Müller, Fritz Ferdinand, Deutschland – Zanzibar – Ostafrika. Geschichte einer deutschen Kolonialeroberung 1884–1890. Berlin 1959.

Müller, Fritz Ferdinand, Kolonien unter der Peitsche. Eine Dokumentation, Berlin 1962.

Newbury, Colin, W., The Western Slave Coast and its Rulers. European Trade and Administration among the Yoruba and Adja-speaking peoples of South-Western Nigeria, Southern Dahomey and *Nussbaum, Manfred,* Togo – eine Musterkolonie? Berlin 1962.

Nussbaum, Manfred, Vom »Kolonialenthusiasmus« zur Kolonialpolitik der Monopole. Zur deutschen Kolonialpolitik unter Bismarck, Caprivi, Hohenlohe, Berlin 1962.

Schnee, Heinrich (Hrsg.), Deutsches Koloniallexikon. 3 Bde., Leipzig 1920.

Schnee, Heinrich, Die deutschen Kolonien, vor, in und nach dem Weltkrieg. Leipzig 1935.

Sebald, Peter, Malam Musa – Gottlob Adolf Krause (1850–1938). Forscher – Wissenschaftler – Humanist. Leben und Lebenswerk eines antikolonial gesinnten Afrika-Wissenschaftlers unter den Bedingungen des Kolonialismus, Berlin 1972.

Stoecker, Helmuth, Hrsg. Drang nach Afrika. Berlin 1977.

Stoecker, Helmuth (Hrsg.), Kamerun unter deutscher Kolonialherrschaft, Studien Bd. 1, Berlin 1960; Bd. 2, Berlin 1968.

Tetzlaff, Rainer, Koloniale Entwicklung und Ausbeutung. Wirtschafts- und Sozialgeschichte Deutsch-Ostafrikas 1885–1914. (W)Berlin 1970.

Washausen, Helmut, Hamburg und die Kolonialpolitik des Deutschen Reiches 1880–90. Hamburg 1968.

Wege, Friedrich, Zur Entstehung und Entwicklung der Arbeiterklasse in Südwestafrika während der deutschen Kolonialherrschaft. Phil. Diss., Halle/S. 1966.

Wehler, Hans-Ulrich, Bismarck und der Imperialismus, Köln/(W)Berlin 1969.

Bildnachweis

Die Urheber der meisten Fotografien sind unbekannt. Dort, wo der Name ermittelt werden konnte, ist er stets angegeben.
Zwei Fotografen sind aufgrund der Anzahl und der Qualität ihrer Fotografien besonders hervorzuheben:
Walther Dobbertin, der erste und einzige Berufsfotograf (von 1906 bis 1914, dann als Landsturmmann bis 1918) in Deutsch-Ostafrika. Die Glasnegative liegen im Bundesarchiv Koblenz.
Adolf Lüderitz, der Großkaufmann aus Bremen, dessen Fotosammlung in dem Staatsarchiv Bremen verwahrt wird.

S. 15	Friedrich Teutsch
S. 16	Bundesarchiv Koblenz
S. 17	Bildarchiv Preußischer Kulturbesitz
S. 18/19	Bildarchiv Preußischer Kulturbesitz (Foto: G.V. Vencenti)
S. 20/21	Bildarchiv Preußischer Kulturbesitz
S. 22 o./u.	Bundesarchiv Koblenz, Sammlung Dobbertin
S. 23	Bildarchiv Preußischer Kulturbesitz
S. 24	Bundesarchiv Koblenz, Sammlung Dobbertin
S. 25	Bildarchiv Preußischer Kulturbesitz
S. 26/27	Bundesarchiv Koblenz, Sammlung Dobbertin
S. 28/29	Bildarchiv Preußischer Kulturbesitz
S. 30–34	Bundesarchiv Koblenz, Sammlung Dobbertin
S. 35	Bildarchiv Preußischer Kulturbesitz
S. 36	Bundesarchiv Koblenz, Sammlung Dobbertin
S. 37	Bildarchiv Preußischer Kulturbesitz
S. 38/39	Bundesarchiv Koblenz, Sammlung Dobbertin
S. 40	Bildarchiv Preußischer Kulturbesitz
S. 41–51	Bundesarchiv Koblenz, Sammlung Dobbertin

S. 52	Bildarchiv Preußischer Kulturbesitz
S. 53	Bildarchiv Preußischer Kulturbesitz Berlin (Foto von J. M. Santos)
S. 54–63	Bundesarchiv Koblenz, Sammlung Dobbertin
S. 65–74	Staatsarchiv Bremen, Photoalbum Lüderitz
S. 75 o.	Bildarchiv Preußischer Kulturbesitz
S. 75 u.	Staatsarchiv Bremen, Photoalbum Lüderitz
S. 76–80	Staatsarchiv Windhuk
S. 81	Bundesarchiv Koblenz, Sammlung Dobbertin
S. 82	Staatsarchiv Windhuk
S. 83	Bundesarchiv Koblenz, Sammlung Dobbertin
S. 84	Staatsarchiv Windhuk
S. 85	W. Schulz
S. 86–89	Bildarchiv Preußischer Kulturbesitz
S. 90	Bundesarchiv Koblenz, Sammlung Dobbertin
S. 91	Bildarchiv Preußischer Kulturbesitz
S. 92/93	Staatsarchiv Windhuk
S. 94/95	Bundesarchiv Koblenz
S. 96/97	Bildarchiv Preußischer Kulturbesitz
S. 99	Bundesarchiv Koblenz
S. 100	Bundesarchiv Koblenz, Sammlung Dobbertin
S. 101	Bundesarchiv Koblenz
S. 102	Staatsarchiv Mannheim
S. 103	Bildarchiv Preußischer Kulturbesitz
S. 104/105	Bundesarchiv Koblenz
S. 106–131	Basler Mission
S. 132/133	Daisy Neidhöfer
S. 135–142	Basler Mission
S. 143	Staatsarchiv Bremen
S. 144/145	Basler Mission
S. 146–149	Staatsarchiv Bremen
S. 150/151	Bildarchiv Preußischer Kulturbesitz
S. 152/153	Basler Mission
S. 154	Staatsarchiv Bremen
S. 155	Bundesarchiv Koblenz
S. 156 o.	Staatsarchiv Bremen
S. 156 u.	Bildarchiv Preußischer Kulturbesitz
S. 157–159	Bildarchiv Preußischer Kulturbesitz
S. 160/161	Bundesarchiv Koblenz
S. 162–165	Marineschule Mürwik, Historische Sammlung
S. 166/167	Bildarchiv Preußischer Kulturbesitz
S. 169	Marineschule Mürwik, Historische Sammlung
S. 170/171	Bildarchiv Preußischer Kulturbesitz
S. 172–177	Marineschule Mürwik, Historische Sammlung
S. 178	Bildarchiv Preußischer Kulturbesitz
S. 179–195	Marineschule Mürwik, Historische Sammlung

Danksagungen

Der Herausgeber bedankt sich bei Gerda Schwarz für ihre organisatorische Hilfe und Mitarbeit.

Außerdem dankt er folgenden Personen und Institutionen:

Basler Mission, Herrn Paul Jenkins

Bildarchiv Preußischer Kulturbesitz, Berlin

Bundesarchiv Koblenz, Frau Marianne Loenartz

Historische Sammlung der Marineschule Mürwik, Herrn Franz Hahn

Frau Daisy Neidhöfer

Herrn Werner Schulz

Staatsarchiv Bremen, Herrn Dr. Hartmut Müller

Staatsarchiv Windhuk/Namibia

Stadtarchiv Mannheim

Herrn Friedrich Teutsch